D1550906

LINDA OLSSON

Nu vill jag sjunga dig
milda sånger

Översättning Lisbet Holst

ALBERT BONNIERS FÖRLAG

www.bonnierpocket.se

ISBN 978-91-0-011408-4
Copyright © 2005 by Linda Olsson
Nyzeeländska originalets titel: Let Me Sing You Gentle Songs
First published by Penguin Group (N.Z.) 2005. Translation rights
arranged by Anderson Grinberg Literary Management, Inc. and Ia
Atterholm Agency.
All rights reserved.
Första svenska utgåva 2006
Bonnier Pocket 2007
Sextonde tryckningen
GGP Media GmbH
Pössneck, Tyskland 2008

Jag driver av och an i mina rum och diktar
för skuggorna och tänker vad jag alltid tänkt,
att det är dikt blott som försonar och förpliktar
och ger sin läkedom åt vad ett liv har kränkt.

Bo Bergman, "Sömnlös" ur *Äventyret*, 1969

Till Anna-Lisa, min mormor, min vän

PROLOG

ASTRID
Juli 1942, Västra Sångeby, Dalarna
När solen sjönk bakom skogens vägg lade vi oss ner,
och den vita natten uppslukade oss. Det har varit natt
sedan dess.

VERONIKA
November 2002, Karekare, Nya Zeeland
Ovanför oss den obarmhärtiga solen medan världen
virvlade ofattbar kring stillheten som var vi två. Sedan
det segerrusiga havets mäktiga dån.

I

... när det dagas

Under resan hade det varit blåst och snödrev, men när det mörknade mojnade vinden och snön slutade yra.

Det var första dagen i mars. Hon hade kört från Stockholm i den tätnande skymningen som omärkligt glidit över i natt. Resan hade gått sakta, men så hade hon också fått tid att tänka. Eller att utplåna tankar.

Vid kyrkan tog hon av från landsvägen och fortsatte uppför den smala, branta backen tills det var dags att svänga en sista gång, in på grusvägen. Inga bilar hade kört här sedan snöfallet börjat. Vägen låg vit och orörd mellan de packade plogvallarna som täcket av nysnö rundat. Hon körde sakta medan ögonen vande sig vid mörkret. Det skulle bara finnas två hus här uppe, och hon såg dem avteckna sig mot himlen. Båda låg i mörker; inga ljus syntes någonstans.

Hon passerade det större huset. Lite längre fram lämnade hon vägen helt och hållet och körde genom snön in på gårdsplanen framför det andra huset. En bit från verandatrappan stannade hon. En smal gång hade skottats åt henne, men sedan dess hade mer snö fallit, och nu syntes bara en lätt fördjupning i det vita täcket. När hon steg ur bilen såg hon torra grässtrån sticka upp ur snön, och under den fanns blanka fläckar av is. Försiktigt, för att inte halka, gick hon fram och tillbaka mellan bilen och huset tills hon tömt både bagageutrymmet och baksätet. Det enda ljud som hördes medan hon bar in kartonger och väskor var skarens spröda knastrande under nysnön. Hon hade lämnat bilens strålkastare påslagna, och ljuset föll snett över hennes fotspår i snön.

Grannhuset var en tyst skugga som skymtade utanför ljustunneln där hon gick. Luften var torr och kall, och andedräkten stod som små vita moln framför henne innan den löstes upp i nattmörkret. Himlen var en oändlig svart rymd utan vare sig måne eller stjärnor. Hon kände sig som om hon fallit genom ett schakt till en värld av absolut tystnad.

Den natten låg hon i en säng för vilken hennes kropp var en obekant form, i detta hus som inte kände henne ännu. Tystnaden och mörkret var som ett ingenstans. Hon kände sig lätt som luft.

På morgonen förmådde solen nätt och jämnt tränga igenom det vita himlatäcket. När hon öppnade fönstret kände hon att det blåste en svag vind som kunde förebåda mer snö. Hon drog ihop sin röda badrock tätt kring bröstet medan hon stod där och tittade ut. Tankarna sysslade med resan, men hon förbjöd dem att följa vägen tillbaka till dess utgångspunkt. I stället tänkte hon på sina många tidigare resor när hon packat upp på främmande platser, gjort sig hemmastadd där resan slutat, i en värld där hennes far var den enda konstanten. Hon visste att det var annorlunda den här gången. I hela sitt liv hade hon rest i sällskap med sin far när han var på väg till en ny placering i ett nytt land, med sin hand i hans. Sedan hennes mor lämnat dem hade det bara varit de två. Och på något vis hade inte ens de mest exotiska platser blivit mer än anhalter på deras färd tillsammans. Men den far hon hade besökt i Tokyo i december hade nu ett eget liv, skilt från hennes. De var inte längre reskamrater. Det här var en ensamresa. En smitning, en flykt. En resa på måfå. Hennes liv kändes lika ovisst som ljuset: svävande i ett vitt intet.

Hon stängde fönstret men stod kvar och betraktade utsikten ner över älven och byn och där bortom de blånande skogarna och i fjärran bergen. Landskapet som bredde ut sig framför henne föreföll uråldrigt: rundade berg som slipats av väder och vind, långsamt flytande älvar och stilla sjöar. Det var kargt land, och endast med möda kunde man få sin försörjning ur dess jord.

Hon vände sig om och tittade ut över fältet. Vad som legat i mörker kvällen före framträdde nu skarpt i det gråtrista morgonljuset. Det andra huset var större än det hade verkat: en rymlig tvåvåningsbyggnad som kanske varit gulmålad en gång i tiden men nu hade en obestämd blekgrå färg som smälte ihop med himlen och snön. Fönstren var tomma svarta fyrkanter. Ännu syntes inga livstecken.

I en korg bredvid spisen låg ved. Någon omtänksam person hade placerat de späntade stickorna överst och de grövre träna där under. Hon bestämde sig för att tända i spisen och satte dessutom på den elektriska plattan för att koka kaffevatten. Sedan slog hon sig ner vid bordet med muggen mellan händerna medan elden tog sig och började spraka.

Hon hade kommit hit utan någon uppgjord tidsplan och bara tagit med sig några få väskor med personliga tillhörigheter, böcker och cd-skivor. Beslutet hade varit plötsligt, och det hade inte blivit mycket tid till förberedelser. I själva verket hade det snarare varit fråga om en rad små, snabba, nästan omedvetna handlingar än ett beslut. Hon kände det som om hon inte hade några planer, inga tankar. Men på någon nivå hade ändå hennes sinne och kropp trätt i funktion och slungat henne ut i denna reservoar av stillhet.

Ännu andra dagen behöll huset sin avvaktande hållning. Där fanns tecken på en nyligen genomförd renovering – nya tapeter, ny badrumsinredning och kakel. Nya skåp i köket, de var snygga och praktiska, men passade inte riktigt in. Det var ett försynt och anspråkslöst hus med någonting övergivet över sig. Sparsamt möblerat med ett bord och sex stolar i köket, två små soffor och ett soffbord i vardagsrummet och två sängar i sovrummet på övervåningen. Kors och tvärs över trägolven låg smala handvävda trasmattor. Fönstren hade inga gardiner, bara enkla vita rullgardiner. Hon hade inte brytt sig om att få telefonen inkopplad, men hon hade mobilen med sig. Den låg i sängbordslådan och var inte påslagen.

Hon var en övergiven gäst i ett övergivet hus.

Sakta gled hennes liv in i sin naturliga rytm. Efter en vecka hade hon etablerat en morgonrutin. Hon steg upp tidigt, drack kaffe vid köksbordet och såg rummet absorbera det tilltagande dagsljuset. Det kändes som om huset hade accepterat henne, som om de hade påbörjat sitt gemensamma liv. Hennes fotsulor hade blivit hemtama med trappstegens trä, hennes näsa hade vant sig vid väggarnas dofter och gradvis satte hon sina egna avtryck, lämnade efter sig små spår. Hon flyttade sofforna i vardagsrummet så att hon kunde sitta och titta ut genom fönstret och köpte en pelargonia i kruka till fönsterbrädan i köket. Vid ena änden av matbordet hade hon inrättat ett slags arbetsplats. Där stod hennes bärbara dator uppfälld, beredd att registrera hennes ord; anteckningsblock, ordböcker och pennor var prydligt placerade på ena sidan om den. Med fingrarna i position ovanför tangenterna stirrade hon på skärmen, men det lilla hon skrev raderade hon igen.

Varje dag inleddes med en promenad, i alla väder. Om hon inte tog sig ända ner till byn såg hon sällan en människa. En morgon stod ett rådjur och tittade på henne när hon gick över gårdsplanen. Det dröjde kvar, orörligt, och mötte hennes blick innan det ljudlöst vände sig om och försvann bakom ladan i en enda snabb rörelse. Hon såg spår av älg och räv i snön. Nätterna var fortfarande kalla, och i mörkret tog vintern tillbaka det som den fått lämna ifrån sig under dagen. Varje morgon började grå och isande kall.

Huset på andra sidan fältet förblev mörkt och tyst. De första dagarna var hon inte säker på om det var bebott eller ej. Men en dag växlade hon några ord med kassörskan i lanthandeln och presenterade sig.

"Jag heter Veronika Bergman. Det är jag som hyr Malms stuga uppe på höjden."

"Jaså, det är du som är Astrids nya granne", svarade kassörskan. Hon log och himlade med ögonen. "Astrid Mattson, byns häxa. Gillar inte folk. Håller sig för sig själv. Inte mycket att ha till granne, tyvärr." Hon räckte Veronika hennes växel och tillade: "Som du säkert kommer att märka."

Det dröjde två veckor innan hon såg sin granne för första gången. Den gamla kvinnan verkade nästan plågsamt utlämnad, en kutryggig gestalt som osäkert tog sig fram på isgatan mot byn, iförd en tjock mörk kappa och gummistövlar. Ända till dess hade hennes hus skyddat henne; de mörka fönstren hade lojalt bevarat hemligheterna om det liv som levdes där innanför.

Varje dag efter sin promenad slog sig Veronika ner framför datorn, men blicken vandrade från skärmen till fönstret och landskapet utanför. Ett tag hade hon känt det som om boken var fullkomligt klar – utformad precis så som den skulle vara, i hennes huvud – och att själva nedskrivandet av orden borde vara en rent teknisk sak, snabb och enkel. Att det enda som krävdes var att hon drog sig undan världen för att hon skulle se. Stillhet. Frid.

Men skärmen var och förblev tom.

Gråvädret höll i sig. Det var som om tiden stod stilla. Det snöade inte, men solen sken inte heller. Osynliga kråkor kraxade i en annars tyst värld.

En morgon när hon gick förbi sin grannes hus på sin promenad såg hon att köksfönstret stod öppet. Det var bara en springa, tillräckligt bred för att det skulle gå att titta ut utan att någon hade möjlighet att se in. Veronika vinkade när hon passerade. Hon trodde sig skymta den gamla kvinnan innanför den mörka rutan men var inte riktigt säker.

Veronika funderade kring sin bok och den ständigt pågående process som fick tankar och idéer att förändras. Det kändes som om boken hon hade påbörjat i en annan värld, i ett annat liv, hade skrivits av någon annan. Orden hörde inte längre ihop med den människa hon hade blivit. Här fanns inga andra distraktioner än de som hon bar inom sig, och allting låg blottat. Det var dags att hitta nya ord.

Så kunde man äntligen ana ett löfte om vår. Veronika stod på verandan och tittade upp mot en himmel som var en oändlig blå duk där ett fågelsträck tecknade sig svart och gracilt som kalligrafi. Morgonen hade grytt utan någonting som antydde att ett omslag var på väg, och hon hade kortat av sin morgonpromenad. Nu när solen lyste mot hennes ansikte bestämde hon sig för att gå ner till älven. Sakta gick hon nedför backen, korsade vägen och fortsatte genom skogspartiet. Drivor av kornig snö låg fortfarande i skuggan vid granarnas rötter, men älven hade börjat gå upp. Stora isflak guppade på den mörka ytan. Vårfloden hade inte satt in; snön hade ännu inte börjat smälta uppe bland fjällen. Hon höll ansiktet vänt mot solen, och när hon kom hem satt hon en stund på yttertrappan. Stenarna kändes varma mot stjärten. Ur den lilla ryggsäcken som hon ställt bredvid sig plockade hon upp anteckningsboken och började skriva. När hon lade ifrån sig pennan såg hon till sin förvåning att det började lida mot kväll. Solens sneda strålar silades mellan trädtopparna på andra sidan vägen. Då slog hon igen boken, drog ett djupt andetag och vände ansiktet mot de sista solstrålarna.

Och insåg hur länge det var sedan hon fyllt lungorna helt.

2

En första virvel, en krusning ...

Astrid stod naken och tittade ut genom fönstret. Det var sent och mycket mörkt. Om det inte varit för den vita snön hade hon inte kunnat se mycket. Bara de gula fönsterögonen på andra sidan fältet, plötsligt väckta efter en så lång sömn.

Hennes eget hus låg i mörker, som alltid. Mörkt och varmt. Hon höll det ordentligt uppvärmt. Huset var en organisk del av henne, dess former inpräglade i hennes kropp: hon rörde sig med lätthet utan ljus i rummen. Dessutom hände det ibland att djuren i mörkret kom ända inpå knutarna: älgar, ugglor, till och med lodjur. Skygga iakttagare liksom hon, med sin egen sfär, bara på snabbvisit i hennes.

Det var sällan hon tittade ut genom fönstren. Utsikten hade förlorat all mening.

Men här stod hon nu, framför fönstret, insvept i det varma mörkret i sitt hus och följde uppmärksamt rörelserna bortom det vita fältet. Hon lade armarna i kors och kupade händerna om brösten. De kändes varma och tunga. Hon böjde sig framåt så att pannan nästan snuddade vid glaset. I nattens stillhet var det enda hon kunde se den mörka konturen av en kvinna som rörde sig i det skarpa ljuset från lyktorna på en bil. Ytterdörren stod på vid gavel – en gapande, gul fyrkant i natten. Hon for med tungan längs tänderna, lät den glida över vassa kanter och gluggar med glatt tandkött, sög in saliven. Hela tiden höll hon blicken riktad mot det andra huset.

Långt efter det att billyktorna släckts och ytterdörren stängts stod hon kvar vid fönstret med armarna om kroppen och lät händerna stryka över den pappersaktiga huden. Stirrade ut i tomrummet som skilde husen åt.

Hon hade varit förberedd på att någon skulle komma men blev överraskad av sin egen reaktion. Av det faktum att hon stod här vid fönstret och tittade.

Nästa morgon vaknade hon tidigt, som alltid, i kammaren innanför köket där hon inrett sitt sovrum. En gång i tiden hade den varit en liten matsal, men det var länge sedan hon flyttat ner dit. Några större förändringar hade hon inte gjort, bara skjutit in bordet mot fönstret så att de fyra stolarna på den bortre sidan stod inklämda tätt mot väggen för att bereda plats åt en smal säng. Sina kläder förvarade hon i farstun utanför köket.

Det fanns ingen rullgardin, bara smala längder av bleknad chintz som hölls ihop med omtag på vardera sidan av fönstret. Hon tyckte om att vakna i mörkret. Och hon fasade för våren och de skoningslöst ljusa sommarnätterna.

Astrid låg stilla med spetsade öron och såg rummets

tak ändra färg. Mörkrets ljud var svaga men välbe-
kanta. Hon hörde snön anpassa sig till den långsamt
stigande temperaturen, märkte vinden som gjorde sig
beredd att friska i, uppfångade rasslet när små fötter
kilade över den hårda skaren på snön som töat och
frusit om vartannat. Natten hade givit vika; dagen
grydde. Hon hörde morgonens första ljud: kråkor som
kraxade. Som om ljudet burits dit av ljuset trängde
det in till henne i rummet. Hon rörde sig inte, men
hennes ögon var öppna, hörseln skärpt. Ljuden och
ljuset sträckte sina tentakler runt rummet, fingrade på
väggarna, taket, golvet. Gled över hennes filt och stan-
nade till. Hon betraktade ljuset när de första bleka
solstrålarna vandrade över den grå takytan. Det gick
inte att komma undan. Till slut måste hon kapitulera
och ta itu med en ännu en dag.

Då, i samma ögonblick som hon satte fötterna på
golvbrädorna, hördes ett nytt ljud. Hon hörde ett föns-
ter öppnas och sedan en dörr. Ljudet av steg över snö
och is, en bildörr som öppnades och stängdes. Ljud
av liv.

Hennes morgnar var väl inrutade, och hon väl-
komnade inte sådant som rubbade rutinen. Dagarna
styrdes inte av disciplin utan av bekvämlighet. Det
skänkte henne en känsla av trygghet. Varje dag följde
ett mönster som inte påverkades av årstidernas väx-
lingar. Livet var en fråga om att hålla ut, att överleva,
och hennes behov var minimala. Hon gjorde inte upp
några planer för framtiden. Trädgården var vildvuxen,
huset hade börjat förfalla. Hon visste att målarfärgen
flagnade och att det fanns sprickor i skorstenen. En

döende byggnad som hyste en döende kropp.

Till byn gick hon bara när det var nödvändigt. I synnerhet nu på vintern. Det plogades sällan här uppe där det inte var någon biltrafik, och när snön smälte blev den till förrädisk is. Hon var inte rädd för att dö men ville helst att det skulle ske på hennes villkor. En bruten lårbenshals skulle göra henne beroende av dem som hon fruktade mest. De som hade väntat på att hon skulle komma att behöva dem.

Det förflutna hölls i schack. Framtid fanns det ingen. Och nuet var ett stilla tomrum där hon existerade fysiskt men inte var närvarande känslomässigt. Hon väntade och lät inte sina minnen komma upp till ytan. Det var en ständig möda som tog på krafterna och slukade all hennes energi. Och det fanns tillfällen när hon misslyckades. När hon överväldigades av känslor lika intensiva som då hon upplevt dem första gången. Vad som skulle framkalla dem gick inte att förutse, och därför aktade hon sig noga. Länge hade hon drivit omkring i stillastående bakvatten medan hon tålmodigt inväntat strömmen som slutgiltigt skulle suga ner henne. Och nu detta. En lätt krusning av ytan.

Hon steg upp och började sin dag. Tvättade sig, kokade kaffe. Hennes kök såg likadant ut som det alltid hade gjort. Den gamla vedspisen intog den mest framträdande platsen, och vid sidan av den stod en elektrisk kokplatta. Det fanns fortfarande liv i glöden. Allt som behövdes för att elden skulle ta sig var att hon lade in ny ved och blåste lite på den.

Hon höll kaffemuggen mellan händerna och drack på bit. När hon ställde ifrån sig muggen på köksbordet strök händerna frånvarande över den stela vaxduken, lika välbekant som hennes egen hud, för att borsta bort obefintliga smulor. Där satt hon och drack sitt kallnande kaffe medan en blek sol gick upp. Hennes blick drogs till fönstret.

Livet trängde sig på. Lite i sänder listade det sig tillbaka in i hennes hus. Ljud. Fönster som öppnades och stängdes. Svag musik genom ett fönster på glänt. En bil som körde därifrån. Och hon kom på sig med att inlemma dem i sitt dagliga mönster. Att iaktta huset på andra sidan fältet blev, allt eftersom dagarna gick, en väsentlig del av hennes tidiga morgnar. Hon intog sin plats vid bordet i god tid innan det andra huset vaknade, väntade medan nattens skuggor drog sig tillbaka. Blicken fästes vid fönstret på andra våningen där de första tecknen på liv skulle visa sig.

Sedan stod hon vid köksfönstret och väntade medan den späda gestalten kom ut ur det andra huset och passerade på vägen. Astrid var noga med att stå stilla, en bra bit från fönstret. Med armarna i kors över bröstet såg hon den unga kvinnan gå förbi och vinka. Och så en morgon lyfte hon armen och vinkade tillbaka. Rörelsen var tvekande, dröjande, och när handen sjönk tillbaka ner stirrade hon på den som om hon blivit förvånad över dess tilltag. Hon satte sig vid bordet och lade båda händerna framför sig. Flera gånger öppnade och slöt hon dem innan hon tryckte dem platt mot bordsskivan med flatorna nedåt. En gummas händer, tänkte hon. Genomskinlig, papperstunn hud spänd över tjocka ådror. Leverfläckar. Sprickan i nageln på högra lillfingret, den som uppstått på femåringens finger när hon klämt det i ladudörren, fanns ännu på den gamla kvinnans hand. Och fördjupningen på vänstra handens ringfinger. Så många år, men den fanns fortfarande där: ett outplånligt, synligt ärr. En påminnelse. Märket efter hennes vigselring.

Hennes frid hade blivit störd. Hon kom på sig med att vandra genom rummen i huset med händerna på ryggen. Dagarna var grå, nätterna kalla. Kvällarna blev längre, och medan hon låg vaken med händerna knäppta på bröstet och blicken på sin forskningsresa över taket ovanför sängen lyssnade hon spänt efter de nya ljuden. Dämpad musik som letade sig ut bakom en neddragen rullgardin. Sängkläder som skakades genom fönstret på andra våningen. Ytterdörren som öppnades eller stängdes. Snabba steg över gårdsplanen.

Hon lyssnade medan hon kände omvärlden tränga in. Livet. Och hon vände ansiktet mot väggen och grät.

På morgonen den första maj låg hon i sängen och väntade. Fåglarna hade börjat sjunga, vinden hade vaknat. Men inga ljud hördes från det andra huset. Det blev ljusare i rummet; hon var redo att stiga upp. Hon väntade fortfarande, med öronen på helspänn. Senare satt hon vid bordet med blicken fäst på huset på andra sidan fältet. Fönstren var stängda; det rykte inte ur skorstenen. Bilen stod kvar. Hon väntade.

Hon öppnade fönstret och ställde sig och tittade. Placerade händerna på köksbänken och böjde sig fram medan hon spanade ut. Inte förrän det blev för kallt i köket stängde hon igen.

Två dagar förflöt. På natten vaknade hon och gick

och ställde sig vid fönstret. Det andra huset låg tyst som graven. Hon satte sig vid bordet och tittade ut. Just när natten var som mörkast lösgjorde sig två älgar från skogsbrynets ogenomträngliga svärta på andra sidan åkrarna. De båda djuren förflyttade sig ljudlöst och med graciösa rörelser över det torra fjolårsgräset – de enda tecknen på liv i en stillnad värld.

Astrid kunde inte längre sova. Hon vankade mellan köket och sovrummet med kaffemuggen i handen. Bilen stod fortfarande på samma plats. Kvinnan kunde inte ha åkt därifrån. Ändå syntes inte ett livstecken. Hon betyder ingenting för mig, sa Astrid sig. Jag vet ingenting om henne. Jag har ingenting med henne att göra.

Om sin granne visste hon bara det som hon hade kunnat se. En ung kvinna. Hon kunde inte längre bedöma hur gammal någon var. Trettiofem? Trettio? Slank med mörkt, lockigt hår. Småväxt. Inte lång i alla fall. Hon hade hört någon prata om henne i affären en dag, men av gammal vana hade hon gått sin väg. Veronika. Hon hade uppfattat namnet.

Hon märkte att hon på nytt började bli medveten om tiden. Tiden på dygnet, veckans dagar. Den saktade in allt mer, och för var minut som gick blev det svårare att slita blicken från det andra huset. Det växte tills det upptog allt utrymme, alla hennes tankar. Till slut gick hon och hämtade sin jacka.

När hon steg ut på verandan och med tvekande steg vandrade längs grusgången var hon ännu inte fullt medveten om vart fötterna var på väg med henne. På samma sätt som när hennes hand besvarade vinkningen var det inte fråga om någon medveten handling, hennes fötter agerade på eget beväg. Hon fortsatte bortåt vägen och över det andra husets gårdsplan. Inga tecken på liv syntes. Hon knackade på dörren och drog sig ett steg bakåt, som om hon gjorde sig beredd att fly. Men när det inte kom någon reaktion klev hon fram och knackade en gång till, hårdare. Hon tyckte sig höra svaga ljud, som av nakna fötter mot trägolv.

När dörren öppnades och hon stod ansikte mot ansikte med den unga kvinnan insåg hon att livet obönhörligt hade återvänt. Hon brydde sig.

3

... säg, vem räddar dig då?

Föregående dag hade varit så full av löften med strålande solsken över snön. Sedan blev det grått och kallt igen. Veronika satt vid köksbordet och läppjade på sitt te och såg hur vinden friskade i. Det fanns inga färger, bara nyanser av grått och vitt. Trädens kala grenar gungade rastlöst. Den byiga vinden rörde upp snö som virvlade runt i korta, oregelbundna kast. Tiden tycktes stå stilla, bidade i ett ingenmansland som var varken vinter eller sommar.

I två månader hade hon varit i byn. Till slut hade hon kommit igång med skrivandet. Det var ett mödosamt arbete, inte den snabba process hon hade sett fram emot. Berättelsen var som ett ömtåligt spindelnät, och hon måste gå fram ytterst varsamt för att inte rycka av tråden. Kontraktet och diskussionerna rörande boken hörde hemma i en annan tid, en avlägsen forntid, och hon fick kämpa för att minnas den glädje och entusiasm hon känt inför projektet. Ändå kom orden. Plågsamt, långsamt. Ord som hon inte väntat sig.

Det var den sista april, valborgsmässoafton. Dags

att fira vinterns slut och vårens ankomst. Ändå var det lika bittert kallt som vanligt och vinden lika isande. Hon hade funderat på att ta sin dagliga promenad sent och gå ner till byn för att se på brasan. Men hon var trött. Vårtrött. Hon satt vid köksbordet framför datorn. Det var varmt i köket – hon hade tänt i spisen – men hon frös ändå. Orden på skärmen tycktes måla ett nästan bortglömt landskap. Det var som om hon sakta höll på att packa upp, plockade fram den ena scenen efter den andra och ställde fram dem till beskådande i detta dystra ljus. Ansträngningen var oerhörd. Här och nu kändes textens stycken malplacerade, som kläder inköpta under en semesterresa. Avlägsna och utan någon förbindelse med vare sig henne eller den här platsen. Hon lyfte blicken och tittade ut genom fönstret, men det orörliga landskapet verkade reserverat. Det var som om hon befann sig mitt emellan två världar och inte hörde hemma i någon av dem.

Grannhuset var tyst och igenbommat. Men föregående dag, när hon gått förbi och vinkat, hade hon lagt märke till att köksfönstret åter stod på glänt, trots vädret. Hon kunde ha tagit fel, men hon trodde sig se en rörelse i mörkret innanför rutan. Hon tyckte sig se hur den gamla kvinnan besvarade hennes hälsning. I dag syntes inget livstecken.

Hon rös och gick upp för att hämta sin fleecejacka. Den röda. Den som tillhört James. Hon drog på sig den och satte sig på nytt vid bordet. Utan att hon var medveten om det strök handen över ärmens mjuka tyg. Hon lyfte händerna till munnen och blåste i dem för att värma sina stela fingrar.

Dagen blev sakta eftermiddag, och hon satt kvar vid datorn, läste snarare än skrev. Men allt eftersom timmarna gick var det som om orden gled undan, blev suddiga och skiftade plats för att bilda allt mer svårtolkade sekvenser. Till slut stängde hon av datorn och fällde ner locket. Köket låg i mörker. Det grå dagsljuset hade djupnat till tidig kväll. När hon reste sig måste hon stödja sig mot bordet ett ögonblick innan hon gick över golvet. Väl uppe i sovrummet lade hon sig på sängen och drog överkastet tätt omkring sig.

Hon låg naken på rygg på en strand. Universum var svart. Svartare än svart – där hon var hade det aldrig funnits något ljus. Den korniga sanden var het mot ryggen; den både brände och rispade huden. Men kallt vatten skvalpade runt henne. Ett upprört hav dånade längre bort; ljudet var öronbedövande. Hennes ögon värkte när de stirrade vidöppna ut i rymden, som saknade varje spår av ljus, och försökte urskilja gestalter i ett ogenomträngligt mörker. Runt omkring dånade havet. Luften var tjock och salt och klibbade vid tungan och i näsborrarna. Hon ville resa sig, springa, men den svarta natten tryckte med sin tyngd ner hennes kropp ännu djupare i den heta sanden så att hon inte kunde röra sig. Så, under den bråkdel av en sekund som skiljer sömn från vaka, kom en bländande ljusblixt och hon såg en jättevåg fylla hela universum och närma sig henne. Den växte allt högre, samlade energi, tornade upp sig skimrande och livsfarlig, nära att brytas. Hennes fingrar klöste i sanden, naglarna bröts. Stumma skrik fyllde hennes mun och hotade att kväva henne. När mörkret slukade henne igen visste hon att vågen hade brutits.

Det var med ett nödrop hon lyckades hinna ner till badrummet innan hon kräktes. Hon huttrade och tänderna skallrade, ändå var huden brännande het. Efter att ha vridit på kranen och låtit det kalla vattnet rinna över händerna pressade hon de våta handflatorna mot kinderna. Till slut kupade hon händerna, fyllde dem och drack. Huset var mörkt.

Sedan var det inte natt men inte heller dagsljus. Hon låg i sängen och halsen värkte. Lakanen var skrynkliga och hoptvinnade. Färglöst ljus silade in genom den halvt neddragna rullgardinen. Hon var fruktansvärt törstig, men avståndet till dörren och trappan var oöverstigligt. Det luktade sjukdom i rummet. Och ljuset var så sorgligt. Hon blundade.

Hon var på Nya Zeeland, på en strand på västkusten, med mörk, het sand under sina bara fötter. Höga berg reste sig i bakgrunden; framför henne sträckte sig havet mot horisonten och dånande vågor vräkte sig mot den tomma stranden. Hon flämtade, sprang, de bara fötterna sjönk ner i sanden. Han var framför henne – det enda hon kunde se var hans nakna rygg och benen som rörde sig snabbt, fötterna som flög lätt över sanden. Hon försökte hinna ikapp honom, kämpade för att sätta fötterna i hans spår. Men han tog mycket längre steg än hon och hon måste hoppa för att nå varje avtryck i sanden. Hon visste att hon måste skynda sig – spåren blev allt svagare och allt svårare att urskilja. Tidvattnet var på väg in, kom närmare och närmare avtrycken som blev mer och mer otydliga i sanden. Hon snubblade, förlorade fart och började trampa fel. När hon tittade upp kunde hon inte längre se honom. Hon var ensam på den öde stranden. Då stannade hon och tidvattnet nådde hennes fötter, slog mot hennes vrister. Hjälplös såg hon det rusa över sanden och med ett enda svep utplåna fotavtrycken. När det drog sig tillbaka låg sanden slät som en spegel. Överväldigad av en sorg så skarp att den fick hjärtat att stanna, andningen att upphöra, sjönk hon ner på knä. Tårar strömmade nedför hennes kinder och hon kupade händerna över ögonen. Men händerna kunde inte stoppa tårarna som rann mellan fingrarna och ner över låren tills hon satt i en ljummen pöl. När hon tog bort händerna såg hon att vattnet som fortsatte att stiga var en svensk insjö, kopparbrun och stilla. Hon lade sig ner och lät det mjuka vattnet bära henne, sjönk djupare och djupare tills ytan slöt sig över hennes ansikte. Stråk av ljus silade ner genom det brungula vattnet och fick de otaliga svävande partiklarna att glimma som guld. Viktlös vaggades hon sakta.

Sedan var det åter vitt morgonljus utanför fönstret och hon befann sig på nytt i sitt rum. En koltrast sjöng utanför fönstret. Veronika kravlade sig ur sängen och tog sig ner till badrummet. Hon drog av sig nattlinnet och ställde sig under duschen men brydde sig inte om att tvåla in sig utan lät bara vattnet rinna över kroppen. Till slut satte hon sig ner med ryggen mot den kaklade väggen och pannan mot knäna, medan vattnet fortsatte att rinna. Där satt hon utan att röra sig tills varmvattnet tog slut och uthärdade det allt kallare strilandet tills huden på axlarna kändes domnad. Då reste hon sig sakta, torkade sig och gick tillbaka upp till sovrummet där hon tog bort de tillskrynklade lakanen och bäddade rent. Ansträngningen fick henne att flämta, och när hon lade sig tycktes rummet pulsera i takt med hennes hjärtslag. Hon blundade.

Hennes far stod utanför ett hus. Hon kände inte igen det, men hon hade en känsla av att hon borde göra det. Han vinkade mot henne och log. Hon ville vinka tillbaka, men bilar och bussar skymde sikten och skilde dem åt. Hon ställde sig på tå, lutade sig än hit, än dit, sträckte på halsen och försökte se ovanför trafiken. Men varje gång hon fick honom i synfältet var det som om han flyttat sig längre bort. Hon försökte ropa till honom att stanna där han var, vänta på henne, men trafikbullret dränkte hennes ord. Hon sprang ut ibland fordonen för att försöka ta sig över gatan. Där var bussar, bilar, spårvagnar och motorcyklar överallt runt omkring henne; hon var fången i ett larmande trafikhav. Hon insåg att hon aldrig skulle ta sig till den andra sidan och överväldigades av en känsla av saknad som dränkte alla ljud. Hon stod som en ö mitt i ett kaos som virvlade runt henne, opåverkat och oberört.

Ett ljud hördes. Eller var det i hennes dröm? Hon stod på knä, på alla fyra, och slog med handen på strandens hårt packade svarta sand. Hon försökte tala, men gråten fick hela tiden rösten att stocka sig, och ju mer upprörd hon blev, desto hårdare slog hon tills det brände i handflatorna. Men så befann hon sig åter i sängen med handen instoppad mellan madrassen och sängbottnens kant och det knackade på ytterdörren.

Om det inte varit för de kalla pannkakorna, den lilla burken och den blå termosen som stod kvar på bordet morgonen därpå kunde det ha varit feberfantasier. Hon hade öppnat dörren och på verandan hade hennes granne stått, osäkert plirande och påtagligt illa till mods. Efter ett kort ögonkast och en hastig nick hade kvinnans blick glidit förbi Veronika till en punkt ovanför hennes axel. Och när hon talade var det med uppenbar möda, sakta och tvekande. Som om hon hade svårt för ljudet av sin egen röst och behövde tid för att avlyssna varje enskilt ord innan hon yttrade ännu ett. Hon hade sagt att hon skulle komma tillbaka med detsamma. Och så hade hon vänt på klacken och skyndat därifrån.

Veronika hade gått in i badrummet och tittat på sig själv i spegeln ovanför tvättstället. Ansiktet verkade litet, som om hon såg det långt bortifrån. Först drog hon en borste genom det trassliga håret, och sedan borstade hon med långsamma rörelser tänderna. Hon satte sig på toalettstolens lock med armarna om låren och huvudet nedböjt mellan knäna. När hon hörde ytterdörren gå upp svepte hon morgonrocken hårt omkring sig, förde ärmen till ansiktet och borrade ner näsan i den mörkröda frottén.

Veronika gick ut i köket och såg att hennes granne hade återvänt och var i färd med att tända i spisen. Kvinnan stod med ryggen mot henne och visade inga tecken till att ha upptäckt henne ännu. Veronika satte sig vid bordet och tittade på den gamla kvinnan. Hon var klädd i en stor grön ylletröja och grå byxor som var för långa och klumpigt uppkavlade så att en glimt av blåådrad hud skymtade mellan strumporna och byxorna. Hon hade hittat stekpannan och Veronika kände lukten av smält smör. På bordet stod en liten syltburk och en gammal bucklig blå termos. Den gamla kvinnan stekte pannkakor, och när den första var färdig bar hon tallriken till bordet. Sedan öppnade hon burken och bredde frikostigt med sylt på pannkakan innan hon rullade ihop den med hjälp av en gaffel. Med blicken på Veronikas ansikte sköt hon tallriken tvärs över bordet men sa ingenting. Veronika tog den hoprullade pannkakan i handen och bet en liten tugga av den. Den smakade underbart – lätt men ändå indränkt i smör; sylten var söt och smakade smultron.

Den gamla kvinnan gick tillbaka till spisen utan att säga någonting, men då och då vände hon sig om, nickade och gestikulerade med pannkaksspaden som en uppmaning åt Veronika att fortsätta äta. Samtidigt koncentrerade hon sig på vad hon hade för händer, hällde smet i stekpannan, såg på medan den stelnade med handen som höll pannkaksspaden vilande på höften. Sedan vände hon pannkakan med en snabb rörelse innan den var färdig att lägga upp på tallriken. Hon hade ännu inte sagt någonting.

Den gamla kvinnan plockade fram två muggar och hällde upp te ur termosen. Det var starkt, nästan svart, och sött. Till slut stängde hon av kokplattan, sköljde ur stekpannan under kranen och slog sig ner vid bordet. Hon åt inte. Hennes högra hand strök i snabba, nervösa cirklar över bordsskivan framför henne, och blicken vandrade hela tiden till fönstret. Efter en stund reste hon sig, tog sin jacka som hon hade hängt över en stol och började dra den på sig. Hon hejdade sig mitt i rörelsen, vände sig till Veronika och sa: "Öppna bara sovrumsfönstret och ropa om du behöver någonting." Sedan drog hon på sig den andra ärmen och gick mot farstun. Med handen på låsvredet och utan att vända sig om sa hon: "Jag håller utkik efter dig." Sedan steg hon ut på verandan och stängde försiktigt dörren bakom sig.

4

Lägg din hand i min om du har lust!

Tre dagar var förlorade; allt som återstod av dem var en rad febriga spökbilder. Efter det att den gamla kvinnan gått återvände Veronika genast till sängen och sov till nästa morgon. När hon vaknade utgjorde de kalla pannkakorna och den blå termosen på köksbordet de enda påtagliga bevisen för att besöket ägt rum. Hennes granne var en gåtfull uppenbarelse som flätats ihop med hennes drömmar. Hon visste ingenting om kvinnan som plötsligt hade stått på hennes veranda. Men när hon tittade ut genom fönstret verkade inte längre huset på andra sidan fältet obebott.

Det tog resten av veckan för henne att återhämta sig. Hon försökte skriva lite, men för det mesta satt hon bara vid bordet och tittade ut genom fönstret medan tankarna vandrade som de ville. Men så på lördagen klädde hon sig för att gå ut. Till och med det obetydligaste företag, som att gå uppför trappan till sovrummet, fick henne att svettas. Men vädret var milt och soligt och hon bestämde sig för att hon måste ut, om så bara på en kort promenad. Dessutom ville hon lämna tillbaka termosen och tacka sin granne.

När hon steg ut på verandan var det som om en hel årstid förflutit under hennes frånvaro. Det skarpa solskenet tvingade henne att kisa med ögonen medan hon gick tvärs över fältet till det andra huset. Köksfönstret stod öppet, och när hon knackade på dörren visste hon att grannen redan måste vara medveten om hennes närvaro. Ändå dröjde det en stund innan dörren öppnades. Hon var glad att hon hade en påtaglig anledning att befinna sig där och sträckte fram termosen som för att bevisa det. Den gamla kvinnan syntes bara delvis där hon stod ett gott stycke innanför dörren och kisade mot besökaren. Veronika tackade henne, kommenterade sylten. Sa ett par ord om vädret. Den gamla kvinnan sa ingenting; hon bara nickade och tog emot termosen. Veronika fortsatte sin ansträngda, ensidiga konversation, men orden föll till marken som torra löv. Till slut förklarade hon att hon var på väg ut på sin första promenad sedan hon stigit upp. Hon hade ingen som helst avsikt att be den gamla kvinnan följa med men hörde till sin överraskning sig själv säga: "Skulle du vilja göra mig sällskap?" Frågan blev hängande i luften.

Den gamla kvinnan skakade på huvudet men stod kvar där hon stod med dörren halvöppen. Veronika teg och tittade ut över fälten medan en tung känsla av ensamhet och besvikelse sänkte sig över henne. Tystnaden mellan de båda kvinnorna tänjdes ut. När Veronika åter tittade mot kvinnan mötte denna hennes blick. Det var som om hon ryckte upp sig, som om hennes mentala beslut tagit fysisk form. "Vänta lite", sa hon. Hon nickade mot den omålade väggfasta bänken längs verandan innan hon försvann och stängde dörren bakom sig. Veronika satte sig i skuggan. Hon hörde den gamla kvinnans fotsteg inne i huset, sedan ljudet när köksfönstret stängdes. Så kom hon ut iförd en trådsliten tröja utanpå en rutig herrskjorta och ett par manchesterbyxor. På fötterna hade hon ett par avklippta svarta gummistövlar.

De gick nedför backen, Astrid lätt framåtböjd med händerna på ryggen. För varje steg åstadkom gummistövlarna ett väsande ljud. Plötsligt kom Veronika att tänka på barndomens vårdagar, när man för första gången efter vintern fick gå ut i sommarskor. Och kände sig så lätt att man kunnat flyga. Men här traskade denna gamla kvinna klumpigt fram i tunga stövlar som var för stora åt henne och rörde upp små moln av damm för varje steg på den torra vägen. Den dikesren som vette mot söder var överströdd med blåsippor. De lysande blå kronbladen var ett oväntat livstecken bland svartnade löv och grågult gräs.

De fortsatte utför backen, och när de kommit ner till landsvägen fortsatte de i gåsmarsch på dess vänstra sida, den gamla kvinnan först. Sedan gick de över vägen och tog stigen genom skogspartiet. Här kunde de åter gå i bredd, och Veronika fann att hon föll in i den andras takt.

"Känner du dig frisk nu?" frågade Astrid och vred lite på huvudet men utan att stanna.

"Ja tack, jag mår bra", svarade Veronika och så gick de vidare. Än fanns det ingen mygg och de gick sakta. Veronika anade att den gamla kvinnan avsiktligt höll igen för hennes skull. Det var kyligt i skuggan under de mörka granarna. Här och var där solen hittade en lucka i muren av träd föll solstråk över stigen. När de kom ut på andra sidan av den smala skogremsan tog de vägen över de öppna åkrarna. Plötsligt stannade den gamla kvinnan och riktade blicken mot en klunga nybyggda hus omgivna av nyplanterade träd som såg ut att föra en tynande tillvaro. Veronika följde hennes blick och tänkte att det var en egendomlig plats för ett villaområde – en platt och lerig jordbit, fullkomligt utlämnad åt väder och vind och ändå totalt utan utsikt.

"Här odlade min far lin", sa Astrid och tittade mot tegelhusen som kurade ihop sig intill varandra, liksom för att försvara sig mot ett eller annat okänt hot. "Men så sålde han det. Min man. Han sålde marken till kommunen." Hon stod tyst en stund, sedan vände hon sig hastigt om och fortsatte mot älven, med snabbare steg än tidigare. En aning andfådd följde Veronika efter. De gick utmed älvstranden en stund tills de hittade ett bra ställe för att sätta sig och vila lite. Där älven gjorde en skarp krök hade brinken eroderats lätt så att det bildats en läande inbuktning, vänd mot söder. Astrid tog av sig tröjan och bredde ut den över gräset, och Veronika gjorde likadant med sin fleecejacka. De satte sig, sedan tog den gamla kvinnan av sig stövlarna och blottade ett par bara fötter med gulnade tånaglar. Solen värmde och de båda kvinnorna lade sig ner. Ingen av dem sa någonting.

Veronika stirrade upp mot himlen där fem fiskmåsar ljudlöst seglade omkring. Hon tänkte inte på någonting, utan tillät sig att slumra till. När Astrid försiktigt knackade henne på armen och sträckte fram en chokladkaka vaknade hon med ett ryck. Precis som Veronika låg den gamla kvinnan med ansiktet vänt mot himlen. Veronika bröt av en bit choklad och blundade på nytt. Solen kändes varm mot huden och hon lät tankarna vandra.

"Jag heter Astrid", sa den gamla kvinnan. "Astrid Mattson." Orden fick Veronika att spritta till. Hon slog upp ögonen och vred på huvudet. Den gamla kvinnan vilade fortfarande utsträckt på rygg, men nu blundade hon. Händerna låg knäppta på magen som i bön. Eller efter döden. "Och du heter Veronika." Hon gjorde ett uppehåll. "Det finns inga hemligheter här. Alla vet allt om alla. Eller det vill de i alla fall tro att de gör. Hemligheter måste man slå vakt om noga, och priset är högt." Hon öppnade ögonen en springa och kisade mot solen. "Ensamhet. Priset är ensamhet."

Måsarna svävade ovanför vattnet, dök och lyfte som marionetter.

Astrid vred på huvudet och öppnade ögonen helt, och för första gången lade Veronika märke till att de var lysande blå, blå som blåklint. Effekten var slående mot den pappersbleka hyn och de grå hårtestarna.

Veronika satte sig upp. Hon slog armarna om smalbenen och stödde hakan mot knäna medan hon tittade ut över älven där måsarna fortsatte sina invecklade turer.

"Du får inte missförstå mig", sa Astrid. "Jag vill inte åt dina hemligheter. Jag är inte intresserad av andra människors liv."

Hon vred åter på huvudet och blundade på nytt. Veronika strök med handen över det torra gräset bredvid sig och fingrarna slöt sig om en liten sten. Hon lyfte armen och kastade den flata stenen mot vattnet. Den flög i en båge och störde måsarna som blev tvungna att stiga med irriterade skrik. Stenen föll och bröt vattenytan med ett litet plask.

"Jag har bott i den här byn i hela mitt liv", sa den gamla kvinnan. "Och under den största delen av mitt liv har jag varit ensam." Veronika såg på hennes ansikte, men det avslöjade ingenting om hennes känslor. Ögonen förblev slutna. "Jag är gammal nu. Nästan åttio år. Och för var dag som går verkar det som om tiden flyter långsammare och långsammare. En dag känns numera längre än hela det tidigare livet. En årstid är en evighet."

Veronika kastade en ny sten, missade vattnet och träffade en liten buske på stranden. Hennes blick var fäst på älvens trögt böljande yta.

"Och hela denna tid som saknar ände har jag varit ensam i mitt hus. Väntat. Slagit vakt om mina hemligheter." Astrid satte sig mödosamt upp genom att rulla över på sidan och skjuta ifrån med båda händerna. "Jag har blivit bra på att behålla mina hemligheter, och på ensamhet är jag expert. Men nu ..." Hon avslutade inte meningen och de satt där tysta.

"Jag brukade gå hit tillsammans med min mor", sa Astrid plötsligt. "Vi brukade vila här på vägen hem från sjön. Underligt – det är mer än sjuttio år sedan och ändå kan jag se henne lika tydligt som jag ser dig. Det är som om tiden inte betyder någonting. Minnena från mitt liv gör sig påminta utan hänsyn till när händelserna inträffade eller hur länge de egentligen varade. Minnen av korta händelseglimtar upptar nästan all tid, medan år av mitt liv inte har avsatt några spår alls." Hon tittade på Veronika med en lätt axelryckning och en antydan till ett förläget leende. Läpparna var hårt sammanpressade och kinderna rodnade lätt. "Jag vet inte varför jag berättar det här för dig", sa hon.

"Jag är rädd för att förlora mina minnen från den dyrbaraste tiden i mitt liv", sa Veronika och tittade ut över älven. "För det har hänt mig tidigare. Jag har inga minnen av min mor. Jag tror nu att jag kanske var tvungen att släppa taget om dem för att kunna leva vidare. Att minnas henne skulle ha inneburit ett medgivande av att hon övergav mig. Och det tror jag inte att jag skulle ha orkat med."

"Jag tror inte att jag skulle ha orkat leva utan mina minnen", sa Astrid.

Veronika tittade med rynkade ögonbryn på den gamla kvinnan. "Ja", sa hon efter en stund, "jag börjar förstå att jag kommer att bli tvungen att minnas. Att jag kommer att bli tvungen att hålla fast varenda dag. Plocka fram dem en och en och försäkra mig om att ingenting har gått förlorat. Men det är så förfärligt svårt."

"Låt mig berätta för dig om min mor", sa den gamla kvinnan. "Och om en dag som efter alla dessa år lever tydligare i mitt minne än gårdagen."

5

Jag skall bygga den med ett högt torn
som heter ensamhet.

ASTRID

Det var juni, försommar, och vädret påminde mycket
om i dag. Vi hade varit nere vid sjön, bara min mor
och jag, och promenerat längs stranden. Vadat i det
ännu iskalla vattnet, plaskat och hoppat. Skrattat.
När mor skrattade strömmade tårarna nedför hennes
kinder. Det kändes alltid lika konstigt, trots att hon
märkte det varje gång och sa: "Åh, min lilla Astrid,
jag skrattar bara." Och så torkade hon bort tårarna
som ett barn genom att gnugga båda ögonen med
sina knutna händer. Jag hörde henne aldrig skratta
hemma, bara när vi var någon annanstans, bara när
ingen annan var med.

Den dagen sprang vi i vattenbrynet, jagade varand-
ra. Skrattade. En and med sina ungar iakttog oss på
tryggt avstånd. Till slut satte vi oss flämtande i san-
den. Min mor hade en grön kjol på sig och fållen var
genomvåt. Hon samlade ihop tyget i händerna så att
hennes vita ben och fötter syntes, sedan vred hon ur

vattnet. Nålarna hade lossnat ur håret som föll ner över hennes axlar och bröst. När hon släppte kjolen lyfte hon armarna, drog bort håret från ansiktet och samlade ihop det med händerna på hjässan. Hon satt mycket stilla och tittade ut över sjön, sedan sänkte hon händerna och drog mig intill sig. Hennes hand smekte mitt hår och jag såg upp i hennes ansikte. De gröna ögonen mötte mina ett ögonblick innan hon tryckte mig till sitt bröst. "Kom ihåg det här, lilla Astrid", sa hon. "Kom ihåg hur solen glittrar på vattnet. Hur andmamman vaktar sina små. Hur blå himlen är. Och hur mycket jag älskar dig." Och jag visste med absolut säkerhet att det aldrig skulle komma några fler dagar som den.

På vägen hem åkte vi förbi här. Jag satt bakom henne på cykeln med armarna om hennes midja, tryckt intill hennes varma kropp. Hennes långa kopparröda hår fladdrade runt mitt ansikte och jag kände musklerna i hennes rygg röra sig för varje gång hon pressade ner pedalerna. Våra skor låg i korgen på styret och gång på gång sa hon åt mig att hålla ut benen, bort från hjulet. "Akta fötterna, Astrid!" ropade hon samtidigt som hon vred på huvudet och kastade en blick över axeln. Himlen var fullkomligt klar; luften luktade jord från potatisåkrarna på båda sidorna om vägen. Det var en sådan lycklig dag, men när jag borrade in näsan mot mors rygg kämpade jag med gråten.

På eftermiddagen kom hon ner klädd för att gå ut och med håret instoppat under hatten. I köket lyfte hon upp mig och tryckte ansiktet mot min hals. Jag kände att hennes läppar rörde sig, men ingenting hördes. Jag kikade över hennes axel och såg porslinsblomman på fönsterbrädet, täckt med klasar av rosa sammetsaktiga blommor. I alla år har jag haft en porslinsblomma på den platsen i köksfönstret, och varje sommar när blommorna slår ut för doften med sig minnet av det ögonblicket. Jag satt vid fönstret med näsan tryckt mot glaset och såg mor stiga upp i farbror Larssons vagn. Jag tittade hela tiden medan han snärtade med piskan över hästarna och ekipaget rullade bort längs vägen. Mor vände sig inte om och vinkade. Det såg ut som om hon höll sina handskklädda händer tryckta mot ansiktet.

De hittade henne på ett litet hotell i Stockholm. Hon hade skurit upp handlederna och lagt sig vid fönstret där det inte fanns någon matta. I tre dygn hade hon legat där. Värmen hade gjort att blodet torkat runt henne, och de blev tvungna att blöta upp kjolen med vatten för att få loss henne från golvet. Hon var tjugosju år. Jag var sex.

Kvällen efter det att mor rest låg jag vaken i min säng. Fönstret var öppet, och vinden fick rullgardinssnöret att slå mot fönsterbrädan. Det var ett så sorgset ljud, knack, knack, oregelbundet och ensamt. Jag låg på magen med ansiktet begravt i kudden, och det var när jag stoppade in händerna under den som jag hittade hängsmycket. Den lilla ovala guldmedaljongen som mamma brukade ha på en kort kedja runt halsen. Inuti den fanns en lock av hennes hår. Jag satte mig upp i sängen och vred de mjuka hårslingorna mellan fingrarna, strök dem mot kinden, medan rullgardinen rörde sig i vinddraget. Knack, knack, knack mot fönstret. Inte förrän många år senare fick jag reda på vad som hade hänt, men den natten visste jag instinktivt att jag hade förlorat henne för alltid. Jag visste det i samma ögonblick som hon såg på mig så där vid sjön. Jag visste det när hon kom nedför trappan. Och jag visste det när hon gömde ansiktet i händerna. Jag fann mig i ensamheten som ett nytt tillstånd av liv. Oundvikligt och bestående.

Kanske var det då jag blev ett med det här huset. Det blev min hud. Min beskyddare. Det har hört alla mina hemligheter; det har sett allt.

Jag var enda barnet, precis som båda mina föräldrar. När jag förlorat min mor var det bara vi två kvar, min far och jag. Det fanns en tid när jag längtade efter en familj, efter syskon, efter fastrar och mostrar, far-bröder och morbröder och kusiner. Nu är jag glad att det inte finns några fler. Bara huset och jag.

Jag vet inte riktigt om min farfar byggde huset med kärlek, men jag vill gärna tänka mig det. Jag tycker om att tänka att han byggde det finaste huset eftersom han älskade sin son. Eftersom han ville skänka honom den vackraste utsikten, de blomstrande ängarna, den bördiga jorden – linodlingarna och potatisåkrarna, de vidsträckta skogarna med träd att fälla på vintern. Jag vill gärna tänka mig att det handlade om kärlek. Jag vet inte vad för slags människa min farfar var – han dog innan jag föddes. Jag vet inte om det skulle ha smärtat honom att veta vad det blivit av hans gåva. Att veta att hans son inte var någon bonde och inte kände någon kärlek till jorden. Att pengarna rann som vatten genom hans mjuka, smala händer så att inget mer än ett döende hus fanns kvar åt barnbarnet. För mig känns det rätt. Alltsammans närmar sig slutet.

När och var börjar det? Under alla dessa år som jag har vårdat minnet av min mor tror jag att jag gjorde det ögonblicket till såväl början som slutet. När jag såg henne stiga upp i vagnen med ryggen vänd mot mig. Det tycktes utmärka slutet på allt som var gott, på själva livet. Och början på en livslång ensamhet. När jag tänker på det nu undrar jag. Jag tror att det kanske inte finns några sådana avgörande ögonblick över huvud taget. All början och allt slut är flytande. Långa kedjor av händelser där vissa länkar förefaller så ovidkommande och andra så oerhört betydelsefulla medan de i själva verket äger samma tyngd. Det som kan framstå som ett enda dramatiskt ögonblick är bara en länk till det som var före och det som kommer efter.

6

Astrid tystnade lika tvärt som hon hade börjat tala, och de förblev i samma ställning – Astrid på rygg, blundande, Veronika med armarna om smalbenen, blickande ut över älven. Hon kunde inte avgöra om den gamla kvinnan var vaken – hennes händer vilade knäppta på bröstet, steg och sjönk med varje andetag. Till slut lade sig Veronika ner, blundade mot den varma solen och slumrade till. Hon vaknade med ett ryck och såg Astrid stå vid kanten av älven med händerna på ryggen och blicken på det strömmande vattnet. Solen hade flyttat sig och deras skyddade plats låg i skugga. Veronika reste sig upp och skakade av fleecejackan. Så började de gå hemåt. De gick under obesvärad tystnad, båda försjunkna i sina egna tankar. Nu följde de landsvägen förbi affären. Veronika frågade om Astrid behövde någonting, men den gamla kvinnan skakade på huvudet och de fortsatte uppför backen.

Klockan var över tre när Veronika var tillbaka i sitt kök. Hon hade väntat sig att hon skulle vara uttröttad, men i stället kände hon sig egendomligt alert, som om hennes sinnen hade skärpts. Hon satt vid köksbordet hela eftermiddagen, läste och skrev i sin anteckningsbok. Där satt hon fortfarande när det kvällades och solen motvilligt drog tillbaka sina allt längre strålar innan den till slut sjönk ner bortom horisonten. Hon åt lite ost och några kex och drack ett glas vin. Sedan satt hon kvar vid bordet, lutade huvudet mot armarna och somnade, men vaknade tvärt efter en liten stund och gick upp på övervåningen. Fullt påklädd lade hon sig på sängen och blundade. Men sömnen var orolig och fylld med gäckande drömmar. Till slut steg hon upp och gick ner igen. När hon satte sig vid bordet och tittade ut genom fönstret blev hon medveten om att det hade skett en nästan omärklig förändring. Ljuset hade nått det mest mättade grå och sedan vänt, och de tidigaste fåglarna hade börjat sjunga. I och med att ljuset kom tillbaka började hon läsa igen.

Varje gång hon tittade upp drogs blicken till det andra huset som stirrade tillbaka på henne genom morgondiset.

Så uppfattade hon en rörelse i ögonvrån. I det bleka morgonljuset kom Astrid sakta gående över fältet, med försiktiga steg som om hon var rädd att kliva fel. Hon var klädd på samma sätt som dagen före. Veronika rörde sig inte utan satt bara och följde den långsamma vandringen med blicken tills hon hörde stegen på verandan, följda av en försiktig knackning. Två tysta knackningar, nätt och jämnt hörbara. Och när Veronika öppnade dörren hade Astrid redan gått nedför det första steget och stod halvt bortvänd. Hon stannade och klev tillbaka upp på verandan. Händerna kramade varandra framför magen, fingrarna lindade sig om varandra.

"Jag tänkte att du kanske skulle vilja komma över på en kopp kaffe i eftermiddag", sa hon och flyttade blicken från Veronikas ansikte till en punkt mellan dem på verandagolvets brädor, sedan tillbaka igen. "Jag tänkte att jag skulle grädda våfflor." Hon gjorde ett uppehåll. "Det är väl egentligen samma sak som pannkakor." Hon gjorde ett nytt uppehåll. "I stort sett." Hon tittade upp, ryckte på axlarna och log osäkert. "Vi brukade grädda våfflor på Marie Bebådelsedag, den 25 mars. Varför vet jag inte, men här i trakten åt man alltid våfflor den dagen." Ytterligare ett uppehåll. "Jag vet inte varför jag kom att tänka på det i dag. Och du har kanske annat för dig ..." Hon tystnade. "En annan dag, kanske." Hon tog ett litet steg bakåt, men Veronika sträckte ut handen och grep tag om den gamla kvinnans handled.

"Det vill jag gärna", sa hon.

"Klockan tre då?" undrade Astrid, och när Veronika nickade vände sig den gamla kvinnan om och gick nedför trappan och tillbaka över fältet utan att se sig om.

Det var fortfarande tidigt, och Veronika kände sig plötsligt trött. Hon gick upp och lade sig.

Hon var ensam i poolen. På armarna hade hon de orange uppblåsbara simdynorna, och hon svävade upprätt i vattnet. Bara huvudet syntes ovanför ytan och armarna var utsträckta åt sidorna. Tåspetsarna nådde precis ner till bottnens blå kakel. Det var mörkt och vattnet lystes upp av dolda lampor längs kanten, under vattenlinjen. Hon såg sina ben nedanför sig, ljusblå, som någon sorts undervattensdjur med ett eget liv. Hon hörde sina föräldrar prata men kunde inte se dem. Bortom den blå vattenytan som krusade sig kunde hon inte se någonting, bara mörker. Hon visste att de grälade och hon försökte låta bli att gråta. Det kom en vindby, och när hon märkte att hon inte längre kände kakelplattorna blev hon skräckslagen. Hon kunde inte simma, och hon fick inte lov att vara ensam i poolen. Plaskande och flaxande med armarna försökte hon springa genom vattnet, och fick den ena kallsupen efter den andra medan hon försökte skrika. Plötsligt kom en hård vind som verkade driva allt vattnet till ena änden av poolen så att det bildade en hög, blå, genomskinlig vägg längst bort. Högre och högre reste den sig. Då, precis när den hotade att brytas över huvudet på henne, kände hon åter kaklet under fotsulorna. Ljudlöst sjönk vattnet tillbaka, svepte sig om henne och lyfte henne tills hon än en gång guppade stilla på den upplysta poolens yta med tårna snuddande vid bottnen. En tropisk måne svävade på himlen och hon kunde inte längre höra sina föräldrar, bara cikadorna som spelade högt i mörkret. Hon visste att hennes mor inte var kvar där längre. Bara hennes far som satt i rottingstolen och rökte medan han stirrade ut i natten. Och hon visste att alltihop var hennes fel.

Hon vaknade med ett ryck. Hon var torr i munnen och visste inte genast var hon var. Klockan var över två och det hade börjat regna, ett tunt, strilande regn som föll lodrätt från den vita himlen. Efter en snabb dusch klädde hon på sig. På väg över verandan stannade hon till, slagen av tanken att hon borde ha någonting med sig den första gången hon besökte sin granne. Hon gick tillbaka upp på övervåningen och öppnade garderoben där hon ställt sina väskor. Några exemplar av hennes första bok, *Enkel biljett, inget bagage*, låg fortfarande i en kartong med föremål som hon ännu inte hade packat upp. Hon letade fram en och vägde den ett ögonblick i handen, tvekade. Sedan rätade hon på sig och gick tillbaka ner.

I köket tog hon en penna och lade boken uppslagen på bordet. "Till min granne Astrid", skrev hon och där nedanför sitt namn. Hon vände blad och tittade på det första stycket. *Den lilla roddbåten gungade när han sköt ut den i vattnet och klev upp i den. Vi var på väg.* Hon mindes den bävan hon känt inför detta företag. Att gå från poesins och novellens bäckar och dammar till romanens öppna hav. Ändå hade hon varit viss om att nå målet, trots att det ibland rått stiltje eller stormar slagit till. Det hade varit spännande, till och med roligt. Frustrerande också, fast på ett kreativt sätt. När hon nu stod med den tunna boken i handen mindes hon hela processen. Men den hade ingenting att göra med var hon befann sig nu, inte heller med den hon blivit. Hon slog igen boken och lämnade huset.

Hon kände doften av våfflorna innan Astrid öppnade dörren. I köket stökade den gamla kvinnan vid vedspisen, vände våffeljärnet och kontrollerade elden. En vit linneduk, styvmanglad och blank, låg på bordet som var dukat för två med utsökt, rosenmönstrat pors- lin. Bredvid kopparna låg gracila skedar och gafflar och på assietterna vikta linneservetter. Tre ljus brann med fladdrande låga i en silverstake. Kontrasten till resten av köket var slående: de urblekta gardinerna, de avskavda pinnstolarna och de nakna golvbrädorna. Veronika blev rörd. Det kändes som om hon blivit bjuden till en högtidlig fest.

Astrid stängde ugnsluckan och ställde uppläggningsfatet med våfflorna på bordet. De satte sig mitt emot varandra och väntade båda på att den andra skulle börja.

"Den tillhörde mor, servisen", sa Astrid till slut och lyfte sin kopp. "Jag hittade den i förrådet när min far hade gått bort. Han måste ha packat ner den efter mors död. Jag har aldrig använt den. Jag har haft den stående i lådorna och bara någon enstaka gång tillåtit mig att ta fram några av delarna." Astrids finger gled längs koppens spröda öra. "När man håller upp den mot ljuset är den nästan genomskinlig. Tunn som ett äggskal."

Astrid sköt fatet mot Veronika och räckte henne skålen med sylt. Veronika tog en våffla medan Astrid hällde upp kaffe.

"Jag tänkte att du skulle få den här", sa Veronika och sköt sin bok tvärs över bordet. "Det är kanske ungefär så jag känner i fråga om den – att den är ömtålig och inte får behandlas ovarsamt." Astrid lät handen glida över omslaget, lät handflatan vila mot det, men gjorde ingen ansats att slå upp boken.

"Det verkar så länge sedan jag skrev den", fortsatte

Veronika. "Att skriva en bok är kanske lite som att föda barn. Den är sprungen ur en själv, men den är inte man själv. När den väl är född har den ett eget liv. Man finns där för att skydda den och ta hand om den, lida med den och glädjas med den. Men i slutändan måste man låta den leva sitt eget liv. Man måste dra sig tillbaka och släppa taget. Och hoppas att den kommer att klara sig."

Astrid betraktade henne uppmärksamt, som om hon smälte Veronikas ord. "Ja", sa hon. "Vi måste släppa taget, till och med om det som är oss allra dyrbarast." Hennes hand vilade fortfarande på boken. "Vad är det för mening med att ha det nerpackat i lådor?" Hon fick ett frånvarande uttryck i ögonen. Läpparna rörde sig, men Veronika kunde inte uppfatta orden. Den gamla kvinnan lyfte boken. Hon slog upp den och följde orden med pekfingret medan hon läste dedikationen. När Veronika började tala tittade hon upp.

"Jag tror att jag skrev den därför att jag ville försöka komma underfund med vad det innebär att resa. Varför man reser. Hur resor påverkar dem som reser. Vad som skiljer dem som gör det från dem som inte gör det." Veronika tittade ut genom fönstret. "Jag har rest i nästan hela mitt liv. Pappa är diplomat, och när mamma lämnat oss tog han placeringar utomlands. För att kunna ge mig en bättre tillvaro, tror jag. Här i Sverige skulle det ha varit svårare. Jag hade barnsköterskor – amahs, ayas och aupairflickor som tog hand om mig. Men jag reste med min far."

Astrid sköt ut stolen och gick bort till spisen. När hon kom tillbaka bjöd hon Veronika påtår. Sedan satte hon sig igen och lutade sig tillbaka med händerna i knäet.

"I dag tittar jag på mors koppar och tänker på alla de där åren. Jag föreställer mig att de köptes och skänktes av kärlek och packades upp här i förväntan. Ställdes in i skåpen med varsamma händer. Och sedan packades ner för att aldrig användas. Vilket slöseri." Hon tittade upp och Veronika såg till sin häpnad att den gamla kvinnans ögon stod fulla av tårar. Som om det gjorde Astrid generad reste hon sig och gjorde sig på nytt ärende till spisen, tittade till elden, lade in ved och väntade tills det hade tagit sig innan hon stängde luckan.

"Slöseri", sa hon med ryggen mot Veronika. "Ett sådant fruktansvärt slöseri. Fast å andra sidan, när ömtåliga saker kommer i fel händer blir de fördärvade. I fel händer kan en bok vara bara papper. Som man kan tända i spisen med eller använda när man putsar fönster. Porslin tunt som äggskal ..." Hon tystnade och drog igen fönstret ovanför diskbänken. "På det här viset finns det åtminstone kvar fortfarande. En dag kommer kanske någon att packa upp det igen, lika kärleksfullt som min mor gjorde. Och låta det användas så som det alltid varit meningen."

Hon återvände till sin stol, satte sig och tog boken. "Alla dessa år", sa hon, "i det här huset." Hon såg på Veronika. "En enda gång har jag varit borta från den här byn. En gång under ett mycket långt liv. Ändå hade jag så mycket att komma bort ifrån. Så lite att stanna för."

7

Ensam under fästet
slingrar stigen, som jag går

ASTRID

Jag brukade drömma om världen. Det var inte så att
jag drömde om att ge mig av, utan det var snarare så
att jag satt här i köket och tittade ut genom det här
fönstret. Byn där nere var en annan värld, och bortom
åkrarna och bergen låg ännu fler. Jag brukade titta
på älven som rann förbi så ivrigt och undra vart den
var på väg.

Det var januari och bitande kallt den dagen jag for
för att bo hos min morfar. Skolan var stängd, läraren
var sjuk liksom många av barnen. Jag har försökt för-
stå varför min far ordnade så att jag kom iväg. Kanske
han var rädd för sin egen skull. Eller för min. Inte om
mig personligen, utan på grund av omsorg om den
länk till framtiden som jag utgjorde. Flera av mina
skolkamrater dog den vintern.

Jag visste att morfar bodde i Stockholm, men det
hade inte förekommit någon kontakt med min mors
familj sedan hennes död. Jag hade inga minnen av

mina morföräldrar, men jag visste att mormor hade dött rätt snart efter mor. Morfar var bara ett namn utan ansikte. Jag visste att Stockholm var Sveriges huvudstad, men jag hade ingen uppfattning om hurdan staden kunde vara. Den var också bara ett namn.

Barn måste bygga upp sin värld med hjälp av sådan bristfällig kunskap. Andra människor fattar beslut åt dem, och det är bara fragment av motiven som de över huvud taget får ta del av. Som barn bor vi i en värld uppbyggd av osammanhängande, lösryckta stycken. Skönmålandet och fyllandet av luckorna är en omedveten process, tror jag. Och kanske fortsätter det hela livet. För mig var det någonting fullkomligt obegripligt och mycket skrämmande att jag skickades till Stockholm ledsagad av Anna, den unga flicka som hjälpte till där hemma. Men när beslutet var fattat fann jag mig ändå i det utan att ifrågasätta det. "Det är bara för en kort tid. Du ska se att du kommer att tycka att det är roligt", sa Anna. Och så reste jag ännu längre in i min ensamhet.

Av den långa, ensamma gestalten som väntade på plattformen när vi kom till Stockholm fanns igen tröst att få. Anna tog emot en hopvikt tiokronorssedel ur morfars behandskade hand och kilade med hastiga små steg iväg till plattformen mitt emot. Utan att böja sig ner betraktade morfar mig; det var som om vi två var de enda människorna i världen. Jag å min sida tittade upp på hans smala ansikte, men varken hans läppar eller hans ögon talade till mig. I det grå skägget längs underläppen och i mustaschen hade rimfrost bildats. Han sa ingenting, tog bara min väska och gick före över perrongen och ut i den glasklara vintereftermiddagen. Han hade en stor våning på Drottninggatan, och dit gick vi under tystnad. Jag hade aldrig tidigare sett stora stenhus, aldrig spårvagnar, inga stensatta gator och inga gatlyktor. Men han upplyste mig inte om någonting, och jag måste anstränga mig för att hålla jämna steg med honom. Han var lång, och hans fotsida svarta rock åstadkom svischande ljud där den flaxade kring benen på honom. Jag småsprang och andades in den kalla luften i korta, grunda andetag.

Det fanns hiss i huset. Han stängde grinden bakom oss, och vi stod mycket nära varandra, men inte så nära att det uppstod någon kroppskontakt. Medan den lilla hisskorgen knakade iväg uppåt började jag gråta. När hissen till slut stannade och vi steg ur, men innan morfar öppnade dörren till våningen, tog han fram en monogramprydd näsduk och räckte den till mig utan ett ord.

Våningen var stor med högt i tak och mörka korridorer som gick i vinklar och krokar och mynnade ut i svagt upplysta rum. Jag hörde fortfarande ljuden från gatan nedanför, obekanta ljud. Stadsljud. En storvuxen kvinna iförd förkläde kom ut i hallen och tog morfars hatt och rock innan hon riktade sin uppmärksamhet mot mig. Då satte hon sig på huk så att hennes ansikte kom i jämnhöjd med mitt innan hon knäppte upp min kappa och knöt upp mössbanden. "Det här är alltså lilla Astrid", sa hon. Hennes ljusblå ögon verkade enorma när de forskande betraktade mitt ansikte genom de tjocka glasögonen. Hon sträckte ut handen och rörde lätt vid min haka, lyfte den. Hon luktade

tvål. "Jag är fru Asp. Kom, så ska jag visa dig ditt rum."
Hon gick före mig genom korridoren med min resväska
i handen. Hennes svarta kjol stramade över stjärten
och hon rörde sig som böljande vatten med förklädes-
snibbarna sakta vajande fram och tillbaka. Håret var
grått och lockigt och samlat i en lös knut i nacken.
Jag tyckte att hon såg väldigt gammal ut, kanske lika
gammal som min morfar.

Jag vet inte riktigt hur länge jag stannade i Stock-
holm. Sex veckor? Två månader? Den första kvällen
låg jag i min säng och tittade upp i taket där ljusen
från gatan spelade. Sängen var kall och det mörkröda
täckets tyngd naglade fast mig mellan de stärkta laka-
nen. Från ett annat rum hörde jag svag musik. Ingen
hade gjort något försök att trösta mig – förklara varför
jag var där eller när jag skulle resa hem igen. Såvitt
jag visste kunde det lika gärna ha varit ett permanent
arrangemang. Kanske hade min far helt enkelt skickat
mig till det där stället för gott.

Morfar såg jag inte till mycket. Jag lämnades åt
mig själv och hade inget annat att göra än att vanka
omkring på de blanka, knarrande parkettgolven med
händerna på ryggen. Jag var tio år och blev tvungen
att lära mig leva i en ensam skymningsvärld som sak-
nade både början och slut.

Två saker sysselsatte mig det mesta av tiden: biblio-
teket och pianot. Morfars bibliotek luktade torrt pap-
per och tystnad, och väggarna var täckta med böcker
innanför glasdörrar. Där var hela hyllor med obegrip-
liga titlar, skrivna med bokstäver som jag inte kände
igen. Dörrarna var låsta, men det låg ofta böcker på

skrivbordet vid fönstret och på det lilla bordet bredvid fåtöljen. Jag brukade sitta på kanten av fåtöljsitsen och sakta vända bladen i en bok, noga med att hålla ett finger där den hade varit uppslagen från början. På skrivbordet och väggarna fanns inramade fotografier, de flesta var av min mor och några av mormor. Mitt på skrivbordet stod ett stort porträtt i silverram av min mor. Hon var halvt bortvänd från kameran men tittade sig över axeln och log rakt mot mig. Håret var bakåtkammat och hölls ihop av ett spänne men föll utslaget över ryggen. Hon såg mycket lycklig ut. Jag brukade ta fotografiet och se henne i ögonen, hålla det så nära mitt ansikte att näsan praktiskt taget snuddade vid glaset. Det fanns andra, mindre, bilder av henne. Min mor till häst. Med studentmössa och famnen full av blommor. Framför ett staffli iförd målarrock och med pensel i handen. Arm i arm med sina föräldrar, alla tre leende under vida solhattsbrätten. Men det fanns inga foton av henne och mig. Och inte heller några tillsammans med min far.

Pianot stod i vardagsrummet. Fru Asp höll det dammat och polerat, men jag hörde aldrig någon spela på det. Jag brukade sätta mig på pallen och låta fingrarna spela låtsasmelodier på locket. En dag tittade jag upp och där stod morfar i dörren och såg på mig. Jag blev alldeles stel, men han sa ingenting utan vände sig bara bort och gick därifrån.

Ibland fick jag följa med fru Asp ut och handla. Då gick vi till torget och köpte fisk. Eller till slaktaren.

"Jag önskar att jag kunde köpa fläsk. Vad är ärt-soppa utan fläsk?" suckade hon en dag.

"Varför kan vi inte köpa fläsk?" frågade jag.

"Åh ... det går bara inte", svarade hon. "Din morfar tillåter det inte."

En dag tog vi spårvagnen till kungliga slottet och Gamla stan och tittade på vaktparaden. Det var mycket kallt, och när vi kom hem lät fru Asp mig sitta med fötterna i ett litet tvättfat med varmt vatten medan hon gjorde varm choklad åt mig. Fru Asp hade lördagarna lediga, och jag började fasa för de dagarna. På fredagarna kokade hon soppa som hon ställde i skafferiet till lördagsmiddagen. Morfar brukade gå ut på morgonen och lämna mig hemma. Jag tillbringade det mesta av min tid för mig själv i våningen, men lördagarna var allra ensammast. Från min far hörde jag aldrig någonting, och sakta började byn och huset blekna bort ur mitt minne.

En dag när jag gjorde mig i ordning för natten hörde jag morfar och fru Asp prata ute i hallen.

"Hon går här ensam varenda dag. Det är inte rätt. Hon är ett snällt barn, och det är helt enkelt inte rätt", sa fru Asp.

Det var tyst en lång stund innan jag hörde morfars röst. "Jag har inte bett att få hit henne. Hon är en avbild av sin far, och det är en pina för mig att se på henne."

"Hon är bara en liten flicka", sa fru Asp. "Herrns barnbarn."

Jag kunde inte höra vad morfar svarade, bara den svaga smällen när dörren till hans arbetsrum stängdes.

Dagen jag reste regnade det. Fru Asp promenerade till stationen med mig. Snön hade töat bort nästan över en natt, och stora issjok föll från taken. Varningsskyltar var uppsatta för att fotgängarna skulle hålla sig borta från trottoarerna, och på en del ställen var det avspärrat. Då måste vi stiga ut i körbanan där smutsigt vatten rann i bäckar. På stationen följde fru Asp mig in i vagnen och placerade min väska på bagagehyllan. Hon böjde sig ner och kramade mig och hennes kalla glasögonbågar skar in i min kind när hon tryckte sitt ansikte mot mitt.

"Adjö med dig, kära barn. Tro inte att din morfar inte tycker om dig. Tro aldrig det. Det är bara det att ..." Hon rätade på sig, öppnade sin shoppingväska och tog upp en papperspåse. "Här har du lite att äta under resan", sa hon.

Sedan strök hon mig över kinden med sin kalla hand, satte på sig handsken, stängde väskan och lämnade tåget. Innan hon vände sig bort vinkade hon hastigt, och så såg jag henne försvinna i folkmassan.

Efteråt undrade jag ibland om det verkligen hade hänt. Jag hade inga minnessaker, inga vittnen. Ingen att dela mina minnen med. Och när jag betraktade mig i spegeln i badrummet här hemma fann jag till min förvåning att jag såg likadan ut som förut. Ingenting annat hade förändrats heller, vare sig i huset eller byn. Jag gled tillbaka in på min plats. Utan att ifrågasätta någonting.

Sedan dess har jag aldrig lämnat byn. Du tycker kanske det är svårt att förstå, men jag har aldrig varit i Borlänge. Och inte i Falun eller Leksand heller. Jag har ingen aning om vilka världar som ligger bortom de där skogarna och de där bergen. Eller vart älven rinner.

8

Kom, sätt dig ned till mig, jag skall berätta dig
om mina sorger,
vi skola tala med varandra om hemligheter.

Veronika ställde försiktigt ner sin kopp på bordet,
plötsligt orolig för att det tunna porslinet inte var
säkert i hennes händer. Astrids kopp stod på bordet
framför henne och hon höll båda händerna om den,
som för att skydda den. Hon tittade upp.

"Låt mig visa dig huset", sa hon. Så reste hon sig
och tecknade åt Veronika att komma. Med henne i
släptåg gick Astrid tvärs igenom det stora köket och ut
i hallen. "Här inne bor jag", sa hon med en nick över
axeln. "I köket och den lilla kammaren innanför. Jag
bryr mig inte ens om att värma upp stora rummet, och
upp på övervåningen går jag sällan." Hon pekade mot
den stängda dörren längst bort i hallen. "Där borta
är stora rummet." En bred trappa som var svängd på
mitten ledde till övervåningen. Astrid hejdade sig på
det nedersta steget och visade på den stängda dör-
ren till vänster. "Det där var min fars arbetsrum. Nu
använder jag det till förråd." Hon fortsatte och de

kom upp i en rymlig, fyrkantig hall med rejäla fönster i två väderstreck. Mitt emot trappan fanns fyra dörrar och ytterligare en omedelbart till höger. Genom fönstret till vänster såg Veronika sitt eget hus och bortom det vägen som ledde till backen ner mot byn. En stor vävstol upptog mycket av utrymmet. Ett par korgstolar och ett litet bord stod vid fönstret till höger. Det mest iögonenfallande inslaget i denna hall var ett antal trasmattor som korsade golvet. Ännu fler låg hoprullade bredvid vävstolen.

"När min far dog klippte jag mattrasor av alla hans kläder och började väva. När min man hamnade på vårdhemmet fortsatte jag med hans." Astrid steg på en av mattorna och lät fotsulan gnida mot den. "Jag njuter av att gå på dem", sa hon. Sedan tog hon Veronikas hand och ledde henne till en av dörrarna rakt fram. "Det här var mitt rum", sa hon och öppnade dörren. Rummet var mörkt och luften stillastående. Rullgardinen var neddragen. "Senare, när jag gifte mig, blev det min fars sovrum. Han dog här." Astrids blick svepte över den smala sängen med det vita virkade överkastet. "När jag hittade honom var han redan död. Hopkrupen med vidöppna ögon. Jag slöt dem och täckte över hans ansikte."

Hon vände sig om och stängde dörren bakom sig. "Det här är ett sovrum till", sa hon men stannade inte för att öppna dörren. "Gästrum, antar jag att man skulle kunna kalla det, fast det var mycket, mycket länge sedan det fanns några gäster här." Hon nickade mot nästa dörr, sa till Veronika att det var badrummet och gick sedan tvärs över hallen. Med handen på låsvredet till det fjärde rummet hejdade hon sig. "Det där är bara ett litet sovrum. Jag ..." Hon avslutade inte meningen utan nickade bara i riktning mot rummet längst bort till höger medan hon höll blicken på sin hand. Sedan öppnade hon dörren framför sig.

"Det här är sängkammaren", sa hon och klev åt sidan så att Veronika kunde stiga in. En stor dubbel-säng dominerade rummet; vid den motsatta väggen stod ett litet skrivbord och en stol, bredvid ett stort klädskåp. Alla möblerna var gamla, av något mörkt träslag. Där var kyligt, och Veronika kände ingen doft av något slag. Hon fick ett svagt intryck av museum, en utställning över en sedan länge svunnen tid.

"Jag vädrar rummen en gång i veckan, men annars är jag aldrig här uppe." Astrid gick genom rummet och öppnade dubbeldörrarna till en balkong som löpte längs hela huset. Båda kvinnorna steg ut på den och lutade sig mot räcket, tittade bort över de ännu kala äppelträden, ängarna som fortfarande var täckta av torrt och platt fjolårsgräs, ner över byn och bort mot bergen i fjärran. Det var kyligt i luften och en lätt dimma steg från dalen nedanför, som en grå svävande slöja. "En sådan vacker utsikt. Men den har faktiskt aldrig berett mig någon glädje." Astrid vände sig om och gick tillbaka in. Hon väntade på att Veronika skulle följa efter och stängde sedan dörrarna.

Senare, när Veronika gick hem till sitt, andades hon i djupa drag. Trots att det nya gräset precis börjat sticka upp genom fjolårets döda lager och björkarna inte skulle slå ut än på ett par veckor kände hon doften av den spirande växtligheten. Dagsljuset sträckte sig långt in på kvällarna nu.

Det var veckan före pingst. Veronika skrev lappen medan hon drack sitt morgonkaffe och stoppade kuvertet i Astrids brevlåda när hon gick förbi. Efteråt slog det henne att den gamla kvinnan kanske inte tittade särskilt ofta i lådan. Men hon bestämde sig i alla fall för att vänta ett par dagar. De senaste veckorna hade hon sett Astrid utomhus, för det mesta ivrigt sysselsatt med att rensa och röja ett litet trädgårdsland på sydsidan av huset. Veronika hade inte försökt närma sig sin granne utan hade skött sitt, tagit sina dagliga promenader och skrivit de flesta eftermiddagarna till långt frampå kvällen.

Morgonen därpå tittade hon i Astrids brevlåda. Kuvertet var borta. Men den dagen hörde hon ingenting från henne. Inte heller såg hon henne arbeta i trädgården. Fönstret var emellertid öppet när hon gick förbi, och hon trodde att den gamla kvinnan såg henne där inifrån. Plötsligt kunde Veronika se hur vackert huset med sin trädgård måste ha varit en gång i tiden: stora björkar på framsidan, nu med ljuslila knoppar som snart skulle spricka ut, och på baksidan den vida sluttningen ner mot byn. Flera stora häggar stod på den västra sidan, och nedanför dem fanns en vildvuxen syrenhäck. Veronika kunde föreställa sig hur vacker den skulle vara om några veckor när den blommade. På baksidan fanns en liten igenvuxen fruktträdgård med gamla äppelträd, vars stammar var täckta av grå lav, och med enstaka spirande knoppar på de bara grenarna. En gång måste det ha funnits blomsterrabatter utmed staketet – hon såg några påskliljor bland ogräset. Det slog henne att hennes egen trädgård var i behov av omvårdnad. Hennes egen trädgård? Det var inte hennes hus och inte hennes trädgård. Stundtals kände hon sig både överväldigad och förvånad vid tanken på att hon över huvud taget befann sig här. I byn. I huset.

Hon gick igenom sin dagbok, läste om anteckningar och lade till nya. Varje gång förflyttades hon omedelbart till en annan värld, besynnerligt nog mer närvarande och levande för var dag som gick, som om tid och avstånd fungerade som ett förstoringsglas.

Varje natt drömde hon om stranden och havet, men de flesta morgnar när hon vaknat helt fanns bara fragment kvar. Minnet av känslan dröjde däremot kvar hela dagen.

Det slog henne att hennes minnen verkade klara och levande här i denna så väsensskilda miljö. Hon såg sin grannes försummade trädgård sakta vakna till liv och förbereda sig inför sommaren, och då trängde sig Nya Zeelands lin och knoppande julträd emellan. Kanske hade hon behövt komma så här långt bort för att kunna se klart. För att minnena skulle stiga upp till ytan. Men trots att hon nu började snudda vid det förflutna förmådde hon inte klä det i ord. Hon kunde sitta timmar framför datorn utan att åstadkomma någonting. Boken som hon hade börjat skriva tycktes bli mer och mer ogripbar. Å ena sidan var det minnena som trängde sig på, å andra sidan det dagliga livet i byn. Och därtill boken. På något sätt levde hon med alla tre, men det verkade inte finnas någon förbindelse mellan dem.

Dagen därpå fick hon Astrids svar. Det låg i hennes brevlåda på morgonen, fast hon inte hade sett henne lägga dit det. Kuvertet var gulnat och klistret torkat. Handstilen var elegant, men av någon anledning gav den intrycket att skrivandet hade varit en mödosam process, ett brottande med penna och ord. Men det var ett ja.

"Tack, kära Veronika. Ditt brev gjorde mig över-raskad. Det finns sällan någonting i min brevlåda, så jag bryr mig inte om att titta i den särskilt ofta. Du kan tänka dig hur roligt det var att få ett personligt brev. En inbjudan. Naturligtvis tackar jag ja. Av hela mitt hjärta."

Astrid skulle komma på middag.

9

Ikväll har intet, intet skett, men något sker ändå.

Till slut hade Veronika kommit fram till att hon inte
skulle bjuda på kött. Det hade varit en sådan som-
marvarm vecka att det passade bättre med någonting
lätt. Hon körde till grannbyn och köpte tre varmrökta
foreller i det lilla rökeriet vid älven. Den första färsk-
potatisen hade kommit till byn dagen innan, impor-
terad och alltför dyr, men hon köpte lite.

Allt var klart. Veronika hade bestämt sig för att de
skulle äta i köket, vid fönstret som stod öppet mot den
ljusa, tidiga sommarkvällen. Luften kom svepande in
och bar med sig den annalkande nattens dofter och
ljud: blommor som slöt sina kalkar, dagg som föll i
gräset, dagens insekter som tystnade och nattens som
vaknade till liv. Köksvärmen lade till doften av mjuk-
nande dill på ångande potatis, skivad citron, stark ost.
Hon hade öppnat en flaska nyzeeländsk chardonnay
och hällt upp ett glas åt sig. Nu stod hon vid fönstret
och väntade, lyfte glaset till läpparna, tog en första
klunk och lät de välbekanta aromerna dröja på tungan.
Äpple, grapefrukt, ananas, feijoa, smör, gräs – till och

med vinexperter fick leta efter ord för att beskriva det. Hon tittade ut över landskapet som fortfarande badade i sol, men där kvällens tystnad var påfallande, och lät sig fyllas av den väldiga stillheten. Så drog hon till fönstret och lämnade bara en springa öppen. En tunn hinna av imma täckte glaset och kondens började rinna som tårar. Från cd-spelaren hördes Lars-Erik Larssons *Förklädd gud*. Det var som om alla hennes sinnen strålat samman och bildat en fulländad helhet. Kvällens stillhet, dofterna från spisen, vinets smak, musiken. Till sin förvåning kände hon att hon fylldes av en lugn, försiktig förväntan.

Så ställde hon ifrån sig glaset på bordet och gick till arbetsbänken för att göra i ordning majonnäsen. Hon började vispa ner olja i senap och äggulor som hon lagt i en skål. Medan hon gjorde det stod hon med ena foten lätt ovanpå den andra och stödde höften mot bänkens kant. Händerna rörde sig, musiken ljöd. Ingenting förebådade den plötsliga minnesblixt som träffade henne med en nästan fysisk kraft. De två i hans mors kök, skrattande. James som gjorde majonnäs. Åt henne, i ett annat liv. Hans solbrända händer som rörde sig graciöst, lätt, sysslade med sitt medan han pratade med henne om underbara saker som väntade. Nu stannade hennes händer, blev liggande orörliga på bänken utan att släppa vispen.

Just då hörde hon fotsteg på verandan. Hon lade ifrån sig vispen och gick för att öppna. Ljuset från lampan i hallen föll över gästen, och Veronika såg sin grannes bleka ansikte framhävt av en vit herrskjorta. Astrid sträckte fram båda händerna. I den ena höll hon en flaska med mörkrött innehåll, i den andra två små glas, upp och ner och med ett grepp om den tunna foten. Veronika tog emot gåvorna, sedan gav hon gästens armbåge en liten knuff med sin egen för att hon skulle stiga på och stängde dörren med en lätt spark.

När de kom in i köket ville Astrid inte sitta ner utan gick fram till fönstret där hon ställde sig med händerna på ryggen och tittade på sitt eget hus. Veronika kunde inte urskilja kroppens form innanför skjortan som var alltför stor och hängde löst över baken. Precis som den rutiga skjortan som hon hade haft på sig under deras promenad räckte den ner på halva låret. Ur de uppkavlade ärmarna stack förvånansvärt smala handleder fram. Genom det glesa grå håret på den gamla kvinnans hjässa såg Veronika hårbottnen. Astrid hade tagit av sig skorna innanför ytterdörren, och även hennes mörka strumpor var lite för stora; det var ett tomrum allra längst fram i tån. De mörka byxbenen verkade våta nedtill efter promenaden genom det daggvåta gräset. Veronika räckte henne ett glas vin. Den gamla kvinnan ryckte till och tog emot det. Sedan höll hon glaset med båda händerna och drack sakta, med slutna ögon. Ingen av dem sa någonting. Musiken fyllde stillheten.

De satte sig mitt emot varandra vid bordet. Ångan från den varma potatiskarotten steg i det lätta vinddraget från fönstret. Forellerna låg svagt rosa på ett fat med citronklyftor runt omkring och majonnäsen i en skål vid sidan av. Där fanns knäckebröd i en liten korg, trekantiga bitar brutna av stora runda kakor från trakten, smör och ost så mogen att den smulade sig. De började äta. Veronika pratade lite om Nya Zeeland, om boken.

"Jag trodde att jag skulle skriva en kärlekshistoria den här gången. Fast nu är jag inte så säker på det", sa hon. "Det är som om den hade glidit mig ur händerna. Eller ur datorn. Jag börjar tro att det är en annan historia som vill bli berättad i stället."

Den gamla kvinnan lyssnade utan att säga någonting, med blicken riktad mot tallriken. När det uppstod en tystnad kändes det inte alls besvärande utan musiken fyllde ut den. Plötsligt tittade Astrid upp.

"Jag vet att folk pratar om mig. I byn." Hon log, och leendet var en besynnerlig liten grimas med hårt hoppressade läppar. "Jag förstår inte hur de fortfarande kan hitta saker att säga. Men det har de alltid gjort. Ändå vet de inte någonting som är värt att veta." Hon snurrade glaset. "Du har säkert hört att de kallar mig 'häxan'. Det gör mig inget. Kanske det ligger någonting i det." Hon såg ner i glaset och log åter det egendomliga leendet. "På den senaste tiden har jag tyckt att det skulle vara en lättnad att berätta sanningen. Eller min version av vissa sanningar." Astrid tittade upp och mötte Veronikas blick. "Men vem skulle jag berätta den för?"

Veronika teg och snurrade på sitt vinglas. De fortsatte att äta, under tystnad. Då och då lät de besticken vila på tallriken och stödde armbågarna mot bordet. Veronika öppnade en flaska vin till. Hon bytte skiva. Nu valde hon en med tonsatta Karlfeldtdikter. Ett ögonblick hejdade hon sig och lyssnade:

Hon kommer utför ängarna vid Sjugareby.
Hon är en liten kulla med mandelblommans hy,
ja, som mandelblom och nyponblom

Veronika gick tillbaka till bordet och satte sig. Astrids ansikte strålade mot henne med ny värme. Plötsligt trodde Veronika sig kunna se den unga kvinnan som så längtansfullt hade tittat ut genom fönstret, fylld av undran inför världen bortom skogarna och åsarna. I det gamla ansiktet sökte hon efter spår av en sedan länge svunnen skönhet, av hopp. Hon tänkte på hur man med hjälp av modern teknik kan ta fram en vuxen människas ansikte med utgångspunkt från ett barns. Att det gjordes ibland när barn försvann. Nu försökte hon att göra det omvända och konstruera det unga ansiktet med hjälp av det gamla som hon hade mitt emot sig vid bordet.

Veronika mindes en dag strax efter det att hon kommit till byn. Hon hade varit i lanthandeln. Kassörskan hade pratat om "häxan" och envisats med att visa Veronika ett gammalt svartvitt vykort. Den illa medfarna bilden föreställde en ung blond flicka klädd i folkdräkt, poserande invid en gärdsgård, blygt leende.

"Det är hon. Faktiskt. Svårt att tro, eller hur?" hade kassörskan glatt sagt.

Men nu tyckte inte Veronika att det var svårt att tro: det fordrades bara ett speciellt perspektiv. Ögonen var fortfarande vackra, lysande blå, men de betraktade omvärlden med ett uttryck som var både avvaktande och misstänksamt. Försämrad syn, eller kanske livet självt, hade gjort dem ständigt kisande. Huden var hårt spänd över pannan, och det bakåtkammade grå håret fick kraniet att framträda på ett störande sätt som förde tanken både till en nyfödds ömtåliga, mjuka huvud och en dödskalle. Veronika tänkte på den unga flickans tjocka flätor som föll ner över bröstet från kanten på hennes hätta. Leendet. Här, i det fladdrande skenet från ljuslågan, var näsan lång och tunn och skuggorna på båda sidorna om munnen var djupa fåror. Munnen var ett smalt streck och innanför läpparna doldes käkar som till stor del verkade vara tandlösa. Det var omöjligt att förknippa den med den unga flickans förhoppningsfulla leende. Förresten hade det kanske aldrig funnits mycket hopp.

När skivan var slut satt Astrid med båda händerna på bordet och det halvfyllda glaset mellan dem. Blicken vandrade ut genom fönstret. Mycket tyst började hon sjunga. *Hon kommer över ängarna vid Sjugareby* ... Hon blundade och rösten blev starkare, säkrare. Veronika betraktade den gamla kvinnan, sedan slöt hon ögonen och lyssnade. När Astrid talade gjorde hon det tvekande och med låg röst, men sångens ord strömmade klart och vackert. När hon sjungit hela sången sa ingen av dem något på en stund.

"Förr älskade jag att sjunga", sa Astrid. "Mor brukade sjunga för mig – sånger med ord som jag inte förstod. Jag bara tog in dem, så som barn gör. Lyssnade på hennes röst och memorerade ljuden. Längre fram, när jag börjat skolan, lärde jag mig folkvisor härifrån trakten. Som den här." Så började hon sjunga igen.

Limu, limu, lima,
Gud låt solen skina
över bergen de blå,
över kullorna små,
som i skogen gå,
om sommaren.

Senare bryggde Veronika kaffe, och medan hon ställde fram koppar reste sig Astrid och hämtade flaskan och de två små glasen som hon hade haft med sig. "Jag har inte brytt mig om att titta efter dem på flera år", sa hon plötsligt och visade med en lätt nick på flaskan. "Smultronen." Hon satte sig vid bordet och tog korkskruven. "Det är mer än sextio år sedan jag planterade dem bakom mitt hus. Jag hämtade dem i skogen, och folk sa att det inte skulle gå. Att det inte gick att flytta skogssmultron. Men jag skötte mitt land och plantorna trivdes. Varje vår så snart tjälen gått ur jorden sprang jag ut och rensade runt dem. Och senare tog jag revplantorna och satte dem i krukor tills de var starka nog att planteras ut i landet igen. Jag skötte det hela sommaren. Plockade smultronen allt eftersom de mognade. De var så söta – små och lysande röda och doften satt kvar på händerna långt efter det att man plockat färdigt. Jag brukade koka sylt och kompott. Saft. Och ibland gjorde jag sådan här likör."

Hon knackade bort hartset som täckte korken, drog i korkskruven och öppnade buteljen. Innan hon fyllde glasen med den djupröda drycken höll hon flaskhalsen under näsan och luktade på innehållet.

"Jag visste inte att jag fortfarande hade en flaska

kvar. Och inte trodde jag att det skulle finnas någonting kvar bakom huset heller. Men när jag tittade efter häromdagen hittade jag det – mitt smultronland – övervuxet av ogräs, men fortfarande där."

Hon lyfte glaset och såg rakt på Veronika. "Som hemligheter", sa hon. "Som minnen. Man kan få sig själv att tro att de har blivit utplånade. Men om man tittar noga finns de där. Om man vill gräva fram dem."

Veronika tog sitt glas och höll upp det mot ljuset. Innehållet var rött som bourgogne, mystiskt och fantasieggande, en häxbrygd. Hon kände doften av de mogna bären när hon höll glaset under näsan. Så blundade hon, läppjade på drycken och lät sötman fylla munhålan.

De satt vid bordet med glasen framför sig och drack långsamt medan de lyssnade på musiken. Astrid höll blicken riktad mot sitt hus på andra sidan fältet där bleka dimstråk svävade över gräset.

"Smultron", sa hon och vred glasets tunna fot i handen.

IO

Jag går på sol, jag står på sol.
Jag vet av ingenting annat än sol.

ASTRID

Det fanns en plats i skogen, långt uppe på åsen bortom byn, dit jag brukade gå. Man var tvungen att känna till den för att hitta dit, för där fanns inga stigar. En liten glänta mitt i den täta skogen där det växte silverfärgat gräs och skogssmultron. Jag stötte på den på hösten när jag var ute och plockade svamp, och därefter blev den mitt hemliga gömställe. Det var som om de mörka granarna runt omkring stod på vakt – över platsen och över mig. Ibland gick jag dit och stannade hela dagen, bredde ut min filt och lade mig på marken. Jag var ensam i hela världen, och trygg.

Det året jag fyllde sexton var sommaren sen. Men veckan efter midsommar anlände den i ett slag, och den ena dagen följde på den andra med stiltje och värme. Jag hade ingenting särskilt för mig, ingen hade pratat med mig om vad jag skulle göra när jag slutat skolan. Utan att veta vad jag skulle ta mig för drev jag bara omkring. Vanligtvis gav jag mig iväg till mitt hemliga ställe tidigt på morgonen och gick inte hem igen förrän solen sjönk bakom granarna och skuggorna sakta smög sig in i gläntan. Ingen saknade mig.

Det blev en chock när jag en dag upptäckte att någon var där före mig. Han stod på knä och plockade smultron som han trädde upp på ett timotejstrå. Jag tvärstannade i skuggan av träden. Fast jag var alldeles tyst måste han ha anat min närvaro, för han reste sig upp med smultronstråt i ena handen som ett lysande rött pärlband. Han log och slog ut med båda händerna, som om han bad om ursäkt. Som om han medgav att han inte borde vara där och kapitulerade inför den rättmätige ägaren.

Jag kände vagt igen honom. Inte så att jag visste vad han hette, men jag hade klart för mig att han kom från grannbyn. Han var lång och såg stark ut, som om han var van vid det tunga arbetet med jorden. Hans hud var fräknig av solen, och det ljusa håret var så blekt att det nästan var vitt. Han hade de klaraste grå ögon med brungula strimmor i. Det upptäckte jag förstås inte förrän senare. Han log, och jag lämnade försiktigt tryggheten i skuggan för att stiga ut i det klara solskenet. Där vände jag ryggen åt honom och bredde ut min filt på marken, sedan satte jag mig med uppdragna knän och kjolen neddragen till vristerna och slog armarna om smalbenen. Först stod han där en stund, sedan satte han sig i gräset alldeles bredvid min filt. Han vände sig mot mig och sträckte fram smultronen. Jag tvekade, men han nickade leende och höll stråt ännu närmare tills det blev omöjligt för mig att inte ta emot gåvan. Vi sa ingenting medan jag sakta drog bären av strået, ett efter ett. För varje bär som jag stoppade i min mun gav jag honom ett.

Efter den dagen förvandlades sakta min längtan efter den hemliga gläntan till en längtan efter att få träffa honom. Eller kanske pojken och platsen smälte ihop i mina tankar.

Han hette Lars och var nästan ett år äldre än jag, sjutton. Han hade längre väg dit från grannbyn, och innan skörden var bärgad hade han inte mycket ledig tid. Jag kunde aldrig vara säker på att han skulle vara där när jag kom dit. På vägen genom skogen passerade jag alltid ett stort granitblock där jag brukade stanna till. Då höll jag tummarna, andades djupt, blundade och viskade: 'Gode, gode, gode Gud, låt honom vara där i dag', innan jag fortsatte. Om han inte var det kändes det som om det berodde på att jag hade gjort något fel. Att jag på något vis var tvungen att göra mig förtjänt av en sådan glädje. För mig räckte det inte längre med enbart platsen.

En dag när jag kom dit satt han i gräset med händerna kupade om någonting som jag inte kunde se riktigt. När jag närmade mig hörde jag ett svagt litet ljud. Jag satte mig bredvid honom och han öppnade en springa mellan händerna så att jag kunde kika in. Det enda jag såg var en mjuk grå dunboll.

"Det är en uggleunge", sa han. "Jag hittade den precis här, i gräset. Måste ha ramlat ur boet." Han tittade upp mot skogens kompakta mur. "Den borde inte vara ute i dagsljuset." Han kikade mellan sina händer. "Den kan bli tagen av räven. Eller höken."

Vi satt tysta och tittade på den lilla fågeln i hans

hand, med huvudena så tätt tillsammans att hans hår rörde vid mitt.

"Jag tror inte att den är skadad." Varligt smekte han det duniga huvudet med fingret. "Bara rädd." Han blåste lätt mellan händerna. "Om jag sätter den i skuggan under ett träd kanske den klarar sig till kvällen, och då kanske mamman hittar den."

"Slå ihjäl den."

Jag kramade hårt om smalbenen och blundade, med huvudet stött mot knäna. "Slå ihjäl den med detsamma", sa jag.

Jag visste att han såg på mig, men jag fortsatte att knipa ihop ögonen.

"Mamman kommer aldrig att hitta den. Slå ihjäl den!" Jag kände tårar bulta innanför ögonlocken och kämpade för att han inte skulle höra hur nära gråten jag var. "Slå ihjäl den för min skull."

Efter en lång stund hörde jag honom resa sig och gå bort över gräset. Inte förrän grenarnas prassel sa mig att han gått in bland träden släppte jag fram gråten. Jag satt hopkurad med armarna om benen och solen värmde min rygg. Min bomullsklänning blev våt av tårar. Det kändes som om han var borta länge, och hela tiden kämpade jag för att få kontroll över gråten. När han äntligen kom tillbaka var han tomhänt. Jag snyftade fortfarande när han satte sig bredvid mig och lade armen om mina axlar. Han sa ingenting. Luften var stilla, solen stod högt på himlen och vi var de enda människorna i världen. Huden på hans arm var varm mot min hals, och hans hand kramade min axel. Jag tittade på våra fötter i gräset framför oss.

Hans starka och bruna, mina späda och vita.

Förändring ligger i tingens natur. Ingenting kan bestå utöver sin beskärda tid. Och jag tror att vi instinktivt vet hur lång den tiden är. Vad är det som gör att vi vet när sommaren vänder mot höst? Den nästan omärkliga förändringen av ljuset? Den knappt förnimbara antydan om kyla i luften om morgonen? Ett visst prassel i björkarnas löv? Det är så det är – plötsligt, mitt i sommarvärmen, kramar någonting åt om hjärtat. Insikten om att allt kommer att ta slut. Och det skänker en ny intensitet åt allting: färgerna, dofterna, solvärmen mot armen.

När vi satt bredvid varandra den dagen med den varma solen på ryggen var det fortfarande sommar. Ändå hade allting nyss förändrats.

Vi lade oss ner tätt intill varandra, höll varandras händer och tittade upp i den blå himlen. Han hade plockat de sista smultronen åt mig – de sötaste, övermogna – och jag kände fortfarande smaken på tungan. Då vände han sig mot mig och viskade mitt namn. Ljudet fyllde hela världen. Han lade sin hand mot min kind och hans fingrar doftade smultron. Jag drog honom till mig och höll hans ansikte mellan mina händer, såg honom i ögonen innan jag kysste honom på munnen. Det kändes som om alla mina sinnen skärptes, som om mina tårar hade tvättat mig ren så att jag för första gången kunde se allt som var gott. Den oändliga himlen ovanför, det glänsande gräset under oss, de mörka trädens vaktposter runt oss. Varje hemlig detalj av hans unga kropp. Bröstet där huden fortfarande var mjölkvit och de solbrända armarna. Fjunen på hans hals. När han knäppte upp mitt klänningsliv och lät läpparna glida över mina bröst visste jag att jag var en del av det goda. Att jag var vacker. Att jag levde.

Jag visste också, och vissheten var absolut, att det inte skulle bestå.

De följande veckorna gick jag tillbaka dit nästan varje dag. Varje gång stannade jag vid granitblocket och höll tummarna. Men han var aldrig där. Ändå fortsatte jag att gå dit, långt frampå hösten. En dag i september satt jag i det torra gräset med armarna om benen som vanligt och blicken riktad mot träden på andra sidan gläntan. I ögonvrån uppfattade jag plötsligt en mjuk, ljudlös rörelse. Jag vred på huvudet och tyckte mig se någonting grått svepa genom luften och försvinna bakom de mörka träden. Jag tänkte på den lilla duniga fågeln som han hållit så varligt mellan sina stora, starka bondpojkshänder och visste utan skuggan av ett tvivel att han hade hittat en trygg plats åt den.

Längre fram fick jag höra talas om olyckshändelsen. Under höbärgningen hade han fallit ner från skullen. Döden hade varit ögonblicklig.

När det blev vår gick jag och hämtade plantorna. Jag visste att de skulle klara sig, vad folk än sa.

Det är mer än sextio år sedan, men mina smultron lever än i dag. Jag vet inte om gläntan i skogen fortfarande finns kvar, inte heller om det finns några smultron där. Den kan mycket väl vara igenvuxen, skogen kan ha återtagit den. Mitt land är kanske det enda ställe där dessa skogssmultron fortfarande växer.

Jag önskar nu att jag inte hade släppt taget om

minnena av den där sommaren. I så fall hade kanske saker och ting blivit annorlunda. I stället lät jag det som hade varit och det som kom sedan överskugga dem. Jag borde ha vårdat dem, så som jag vårdade mitt smultronland. Låtit dem skjuta nya skott, sätta ny frukt. Men kanske de är samma sak, smultronlandet och mina minnen av den sommaren. Som jag äntligen har grävt fram på nytt.

II

Hjärtat skall gro av drömmar,
annars är hjärtat armt.

Musiken var slut, och när Astrid talat färdigt blev det tyst i köket. Veronika blåste ut ljuset och de sveptes in i den dunkla dager som är varken dag eller natt.

"Tiden. Jag förstår mig inte på den", sa Veronika. "Jag tror aldrig att jag har fattat hur den är beskaffad. Minnen tycks flyta upp utan någon särskild ordning, utan någon anknytning till tiden. I går verkar lika avlägset som förra året."

Astrid svarade inte utan sträckte ut handen och tog sitt glas. Hon drack en klunk och såg på Veronika.

"En del av mina käraste minnen är av ytterst korta ögonblick", fortsatte Veronika. "Jag har år av liv som inte lämnat några spår efter sig, och minuter som är så djupt rotade i mitt sinne att jag återupplever dem varje dag."

"Ja", sa den gamla kvinnan dröjande. "Jag tror att jag sa samma sak där nere vid älven, den första dagen. Jag minns att vi tittade på de där nybyggda husen.

82

För mig var de som svampar som på något mystiskt och överraskande sätt skjutit upp ur jorden över en natt. Linåkrarna som fanns där för sextio år sedan var verkligare för mig." Hon läppjade på likören och knep ihop munnen hårt om klunken innan hon svalde. "Genom att berätta för dig om den där sommaren har jag fått den tillbaka." Hon böjde sig en aning framåt med händerna på bordsskivan. "Du förstår, den har aldrig varit borta. Det är bara jag som har vägrat lyssna. Och nu ..." Rösten dog bort.

Veronika flyttade sig på stolen, ställde ifrån sig sitt glas och stödde armbågarna på bordet.

"Mitt liv består av fragment", sa hon. "En del så bländande intensiva att allt annat blir otydligt. Vad ska jag göra med de där glittrande skärvorna? Det finns inget mönster. Jag får dem inte att passa ihop. Varken med varandra eller med helheten som skulle vara mitt liv. Det känns som om min tillvaro utplånades i en blink och min värld därefter blev obegriplig. Bara skärvor och partiklar som jag bär med mig vart jag än tar vägen. De är vassa och det gör fortfarande ont att röra vid dem. Och de är så tunga. Jag vet att det finns mer – andra, mindre intensiva fragment som jag behöver för att göra tillvaron hel. Jag vill minnas allting. Men kanske jag måste ge det mer tid. Tillåta mig att vila lite. Distansera mig lite för att se om jag kan urskilja ett mönster. Och se sanningen i vitögat, våga se vad som verkligen finns där."

Astrids ansikte var en vit mask och håret en gloria, Veronikas en bred triangel där ögonen utgjorde mörka hål som inte reflekterade något ljus. Morgonens första vindfläkt fick trädens grenar att röra sig utanför fönstret.

"När jag träffade James var det som om en ny tideräkning började. Som om allt det som varit mitt liv till dess plötsligt upphörde", sa Veronika och tittade ut i natten. "Och allt jag hade vetat dessförinnan bleknade bort. Genast förflyttades jag till en värld där färgerna var starkare, ljuden tydligare, dofterna och smakerna intensivare. Och en tid trodde jag att den var min."

12

Nej, inte du och inte jag, nu är det blott en enda
i denna natt och nästa dag och efter tusen år.

VERONIKA

Så här efteråt känns det som om det var så från allra
första början. Fast det kan naturligtvis inte stämma.
Minnet spelar mig spratt igen. Men han log mot mig
tvärs över baren, sköt en öl åt mitt håll och därmed
rubbades världens ordning en aning. Till dess hade
mitt liv varit tryggt. Jag hade levt i en stilla, vänskap-
ligt ointresserad värld som gav mig tid att överväga
mina handlingar. Det var den sorts värld som jag hade
en karta till. I James värld var jag för evigt vilsen.

Vi träffades i London, på den pub i Hampstead där
han arbetade. Jag gick dit tillsammans med Susanna,
danskan som ägde galleriet jag jobbade på, och tre av
hennes vänner. Jag kände inte de andra, men de ver-
kade trevliga. En ung kvinna, frilansande konstkriti-
ker; hennes partner som var IT-konsult och den tredje
som hette Brent, en av de konstnärer som Susanna
ställde ut. Alla fyra kände varandra väl, och kanske
det gjorde att jag blev lite utanför. När det var min tur

att bjuda var jag glad att få en anledning att lämna bordet. Jag gick fram till baren och beställde.

En ganska berusad man i randig kostym började dra sig närmare. Innan jag blivit medveten om att han försökte tränga sig på mig böjde sig bartendern fram och lade handen på den kritstrecksrandiges arm. "Du, hon är min tjej. Håll dig borta, va?" Vilket den kostymklädde till min förvåning gjorde. Det var så jag träffade James. Jag satte mig på en av barstolarna och tog en klunk av min öl. Jag tackade honom och han frågade var jag kom ifrån. När jag sa Sverige log han och sa: "Så långt bort från mitt hemland som man kan komma. Jag är från Nya Zeeland. Från Auckland." Hans mjuka vokaler tycktes smeka orden. Han hade rödblont, lockigt hår och grå ögon och hans leende lyfte mig och bar mig till platser där jag aldrig tidigare hade varit.

"Jag är för gammal för det här", sa han.

"För vad då?"

"För min O. E. Min overseas experience, mitt år i Europa. Jag är trettioett. Jag borde ha fått den undanstökad för tio år sedan."

Han skrattade och kastade huvudet lite bakåt, sedan böjde han sig över bardisken och tog båda mina händer. Och det var då han började berätta om sig själv. Eller rättare sagt om en del fakta kring sitt liv, inte om den man som var han. Det fick jag upptäcka på egen hand.

Plötsligt erinrade jag mig mina vänner och reste mig för att ta deras glas. Men innan jag vände mig bort lade han handen på min arm och frågade om jag kunde vänta tills han slutade.

Jag återvände till bordet, och det dröjde ytterligare någon timme innan mina vänner gick. Susanna vände sig om i dörren och sände mig ett litet leende och en vinkning. Puben tömdes sakta, och precis efter midnatt lämnade han sin plats bakom disken och så gick vi ut. Dagen hade varit varm och klibbig med kväljande, stillastående luft, så som det blir i en stor stad byggd för ett annat klimat. Natten var varm, sammetsmjuk som ljummet vatten. Vi gick ut på heden.

Han berättade att han hade varit i England i ett par månader. Från Auckland hade han rest genom Sydostasien, Mellanöstern, Grekland och Italien. Nu arbetade han för att tjäna ihop till hemresan. Han var marinbiolog men hade inga utsikter att få arbete inom det området. Han hade lämnat ett dåligt betalt jobb på en fiskodling på Tasmanien för att resa till Europa. Framtiden var oviss, men han var på väg hem. Till Nya Zeeland. Jag hade bara en ytterst vag föreställning om det landet. Det mest avlägsna landet i världen. Jag hade rest i nästan hela mitt liv, men i Nya Zeeland hade jag aldrig varit. När han talade om det blev hans röst varm och intensiv.

Han hette James McFarland.

Nattliga promenader på heden sedan han slutat arbeta blev vårt regelbundna sätt att träffas. Jag åkte upp till Hampstead från galleriet i Knightsbridge, sedan satt jag på puben med en öl hela kvällen och såg på honom medan han arbetade. Skrattade av ren glädje över att se och höra honom. Det kändes som om jag aldrig hade skrattat förr. Aldrig hade varit lycklig förr. Nu känns det som om det var allt skratt som blivit mig beskärt. Min kvot.

Han berättade att han lovat sin mor att komma hem till jul, så jag visste att det snart skulle vara slut. Mina egna planer var oklara. Jag hade tillbringat nästan ett år i London och inte ägnat många tankar åt framtiden. Jag visste att min förläggare hoppades på en andra bok, och jag hade skrivit en del. Under tiden försörjde jag mig på gallerijobbet. Susanna var förstående och hade inte försökt påverka mig att engagera mig i jobbet på någon längre sikt. Precis som jag verkade hon nöjd med att ta en dag i sänder. Jag hade flyttat ut ur Johans lägenhet i Stockholm men lämnat mina böcker och min katt hos honom. Jag hade väl tyckt om att tänka mig att jag kanske skulle komma tillbaka. Bara inte än.

James bodde i en lägenhet på översta våningen i ett femvåningshus alldeles intill heden och fungerade som lägenhetsvakt åt ägarna som var utomlands. Första gången han tog mig med dit var en regnig söndagseftermiddag i oktober. Det var hans lediga dag och vi hade varit till det judiska bageriet i Golders Green och köpt bagels. På tillbakavägen öppnade sig himlen. Vi stannade och tog en öl på Spaniards Inn i hopp om att det skulle sluta regna.

Jag tror inte att jag har något bra minne i allmänhet. Mamma brukade säga att mitt minne var otillförlitligt, att jag aldrig kunde komma ihåg någonting korrekt. Men varje dag av de där första veckorna, månaderna, har en reserverad plats i min hjärna. Jag kan plocka fram dem och titta på dem och färgerna är lika klara och upplösningen lika skarp som alltid. Exakt hur hans ansikte såg ut på andra sidan bordet. Hans hand kring ölglaset. Mina fötter som var blåsvarta när vi kom hem till lägenheten eftersom skorna färgat av sig. Huden på hans armar som strök mot mitt ansikte när han torkade mitt hår med en handduk. Vi älskade i den smala sängen i det lilla rum där han sov. Det var ömt, inte den lidelse och dramatik som man hade kunnat vänta sig av en sådan kärlek. Ljuvt. Med öppna ögon. Som om detta var det förflutna, nuet och framtiden på samma gång och vi inte hade råd att gå miste om den minsta detalj.

Efteråt gav han mig sin slitna badrock, tog min hand och ledde mig ut i köket. Det var första gången jag såg honom laga mat. Hans händer när han skickligt knäckte ägg, hackade salladslök, skivade tomater. Jag skulle kunna prata länge om hans händer – ägna tid åt varje finger. Sådana goda händer. Händer som kunde skänka min kropp sådan njutning. Händer som hanterade mat med sådan kärlek. Längre fram skulle jag se dem röra vid andra människor som han brydde sig om. Vid djur. Vilande på ratten i hans bil. Men för det mesta minns jag dem mot min kropp. När de smekte mig.

Jag visste att han skulle resa. Det hade han sagt från början. Ändå undvek vi ämnet allt eftersom ögonblicket närmade sig. Vi pratade aldrig om någonting utanför den värld som utgjordes av oss två. Där. Då. Vi tillbringade all fritid tillsammans: gick på bio, gallerier, museer. Vi promenerade i parker där träden och gräsmattorna lade av sig livet och förberedde sig för vintern. Vi åt på små restauranger, fast oftare i hans lägenhet. Vi älskade. Världen fortsatte med sitt utan oss.

Men så var den oundvikliga stunden inne.

"Jag har bokat biljetten", sa han en dag när vi gav oss ut på vår promenad på heden. Det var inte längre varmt, men vi höll fast vid vår rutin. Han lade armen om mina axlar och tittade rakt fram, inte på mig. Vi gick och jag försökte hålla hans takt, låta min kropp rida på hans energi, halvt bäras.

"Jag flyger i dag om tre veckor", sa han. Tre veckor. Det var som att få veta exakt hur lång tid man hade kvar att leva. Plötsligt blev minsta detalj tydlig och ytterst betydelsefull. Han stannade tvärt och vände mig mot sig med ett fast grepp om mina axlar.

"Jag älskar dig, Veronika." Han böjde sig fram och kysste mig, utan att dra mig intill sig. Jag blundade, och när jag slog upp ögonen föll min blick på två unga flickor som stod en bit bakom James och fnissande iakttog oss. På något sätt blev deras ansiktsuttryck en bekräftelse av det han sa.

Den kvällen satt vi på golvet framför gasbrasan i det mörka vardagsrummet, bredvid varandra med benen i kors. Han vände sig mot mig, ställde sig på knä och drog upp mig så att våra knän snuddade vid varandra.

"Följ med mig", sa han och höll båda mina händer. "Jag har glömt hur det går till att leva utan dig. Jag minns inte hur jag bar mig åt. Snälla Veronika, följ med mig."

Jag såg på hans ansikte, granskade varenda liten

detalj och lagrade bilderna. Den ljusa huden som spändes över hans panna, det rödblonda håret som reste sig ur ett komplicerat system av virvlar. Det lilla ärret på hans överläpp. Framtanden med den bortslagna flisan. Hade de båda skadorna uppstått vid samma tillfälle, på läppen och tanden? Jag visste så lite. Och det jag visste behandlade jag redan som förgånget. Iakttog, memorerade, lagrade. Jag försökte föreställa mig hur han skulle åldras. Hur han skulle se ut när han blivit gammal.

Han vände sig ett kvarts varv och lade sig på rygg med armarna i kors under huvudet. Jag iakttog hans profil och inpräntade varje linje i minnet.

"När vi har älskat ligger jag vaken och ser på dig", sa han. "Jag är orolig för att du tyst ska lyfta på täcket och försvinna om jag blundar. Försvinna som en hjort i mörkret."

Han sträckte ut ena handen och drog mig till sig. Vi låg stilla. Mina ögon var slutna och jag fyllde mitt sinne med hans doft. Jag hörde bilar köra förbi på gatan nedanför. Deras strålkastare målade vandrande mönster i taket. Gasbrasan väste.

Han reste en lördagsmorgon. Vi hade kommit överens om att jag inte skulle följa honom till flygplatsen. Vi satt vid bordet och drack kaffe. Det var fortfarande mörkt ute.

"Jag har en sak åt dig, Veronika", sa han och sköt ett litet paket tvärs över bordet. "Jag vill att du ska öppna det när jag har åkt, och jag vill att du ska använda den ofta."

Jag höll paketet mellan handflatorna och kämpade

mot gråten. "Jag har ingenting åt dig, James", sa jag.
"Ge mig bara ett leende", sa han.

Och det var det svåraste han hade kunnat be om.

13

Var inte rädd för mörkret,
ty ljuset vilar där.

I tystnaden hördes en koltrasts första trevande toner. Astrid reste sig, tungt stödd på bordet, med stela rörelser som om det gjorde ont i lederna. Hon sköt tillbaka stolen, men tog sig tid att göra det försiktigt och ljudlöst. Så gick hon runt bordet och tog Veronikas ansikte mellan sina händer. Med handflatorna mot den unga kvinnans kinder betraktade hon henne uppmärksamt ett ögonblick. "Kärleken", viskade hon. "Minns alltid kärleken."

Hon lät händerna sjunka och gick tvärs över golvet. Hennes strumpklädda fötter åstadkom inga ljud. Veronika vred på huvudet och hennes blick följde gestalten som sakta fortsatte ut i farstun. Hon tittade på fötterna i de alltför stora strumporna och på skjortan som var skrynklig där bak. Det tunna håret i Astrids nacke. Hon lossade händerna som hon hållit knäppta och lät dem sjunka i knäet, sedan drog hon djupt efter luft, som om hon hållit andan länge. Hon hörde ytterdörren öppnas och stängas, och när hon

tittade ut genom fönstret såg hon den gamla kvinnan
gå med långsamma steg genom gräset för att så små-
ningom uppslukas av dimman som ännu låg kvar. Då
slog Veronika händerna för ansiktet och grät.

Sommaren kom plötsligt, veckan före midsommar.
Veronika satte in myggnät så att hon kunde ställa upp
korsdrag genom huset. Björkarna gick från skirt ljus-
lila via späd grönska till full sommarprakt på några
dagar och spröda ängsklockor täckte ängarna med ett
skälvande, ljuslila skimmer. Häggen blommade och
fyllde luften med sin doft under några intensiva dagar,
sedan föll blombladen som snö. När Veronika prome-
nerade utmed älven cyklade barn förbi henne på väg
till sjön för att bada. Badkappor av frotté fladdrade
bakom dem i vinddraget och över deras axlar hängde
tjocka badringar. Skolan hade slutat; sommaren låg
kravlös framför dem. Hon hade inte sett Astrid sedan
kvällen då hon kommit på middag. Och när hon gick
förbi hennes hus var köksfönstret inte öppet mer än en
springa. Där innanför kunde hon inte urskilja något
liv.

I byn pågick förberedelserna inför midsommar-
firandet, och arbetet förde med sig en stämning av
varm förväntan. Bortom kyrkan fanns en öppen plats
invid älven. Där hade gräset blivit slaget och längs den
ena sidan hade stånd rests. När Veronika gick förbi
affären stod folk utanför i gasset och pratade och log,
med ansiktena vända mot solen.

Två dagar före midsommarafton gick Veronika över
och knackade på dörren hos Astrid. Det var sent på

eftermiddagen, och trots att solen fortfarande stod högt på himlen var luften fylld av en sömnig lojhet; fåglar och insekter tycktes ha gått till vila. Hon knackade en gång, sedan väntade hon. Så knackade hon en gång till. Inte ett ljud hördes. När hon kände på handtaget gled dörren upp. Hon blev stående på tröskeln och väntade. "Astrid?" ropade hon. Ljudet rev sönder tystnaden och mörkret där inne. Det kom inget svar. Utan att stänga dörren steg hon in. Allt eftersom ögonen vande sig vid dunklet kunde hon urskilja hallen framför sig. Alla dörrar var stängda. Hon stod stilla med öronen på helspänn, men hörde ingenting. Då gick hon fram till den stängda köksdörren och lyssnade på nytt innan hon tryckte ner handtaget.

Den gamla kvinnan satt vid bordet med händerna runt en mugg. Gardinerna var fördragna, och solen som silade in genom det urblekta mönstrade tyget fyllde köket med ett trött, brungult ljus. Veronika kände det som om hon stigit in i en dröm, en overklig scen ur en teaterpjäs.

Astrid visade inte med en min att hon lagt märke till besökaren – hennes blick var fäst på fönstret. Veronika gick fram till bordet och satte sig. Hon strök med handen över den krackelerade vaxduken och väntade. Till slut sa hon: "Förlåt att jag kliver på så här, men jag blev orolig. Jag har inte sett dig på nästan två veckor. Bara det öppna fönstret på morgnarna." Den gamla kvinnan sa ingenting. "Och på fredag är det midsommarafton. Jag hoppades att du skulle vilja följa med mig till byn och se på när de reser majstången." Orden blev hängande i luften och hon tittade på sin granne.

Astrid teg fortfarande och stirrade mot fönstret. På fönsterbrädan surrade en fluga hjälplöst.

"Han är döende." Astrid tog blicken från utsikten och såg Veronika rakt i ögonen. "Min man är döende."

Veronika stirrade oförstående tillbaka.

"De ringde från vårdhemmet."

Astrids fingrar gled runt kanten på den tomma muggen framför henne, och blicken drogs åter till fönstret. "Han har varit döende väldigt länge. Jag har väntat så väldigt länge. Men nu säger de att det snart är dags."

Veronika reste sig och satte på kaffepannan. Sedan ställde hon två rena muggar på en bricka. "Vi går ut en stund", sa hon och rörde lätt vid Astrids armbåge. Astrid reagerade sakta; hon var uppenbart djupt försjunken i sina tankar.

Innan Veronika tog ut brickan hämtade hon Astrids fällstol och ställde den intill väggen på baksidan av huset, i den glesa skuggan från äppelträden. Sedan gick hon efter brickan, och Astrid följde henne ut.

Smultronplantorna var översållade av vita blommor; de såg ut som snöflingor i grönskan. Veronika ledde Astrid till stolen och satte sig själv i gräset bredvid henne. En stor humla vinglade omkring bland blommorna, som omtöcknad av allt detta överflöd. Veronika lutade ryggen mot den varma träväggen. Astrid satt stilla med slutna ögon och med kaffemuggen i händerna.

"En sådan lång väntan", sa hon. "Ett helt liv."

14

Tills man andas med bara hat ...

ASTRID

Ända sedan min bröllopsdag har jag längtat efter att han skulle dö. Sextio år. Nu när dagen snart är inne förstår jag att det inte har någon betydelse. Att det aldrig handlade om honom. Det som jag har trott började den dag då jag gifte mig var i själva verket gammalt redan då. Giftermålet var bara det ögonblick som kom att utgöra en gräns. Det var den dag då jag slutade leva.

Det var i juni. Jag hade bett att vädret skulle förbli grått och kallt, men dagen blev sommarlik med en intensivt blå, molntom himmel. Klockringning. En storslagen vigselakt. Prästen kom från Uppsala, blommorna från Stockholm. Liljekonvaljer, stora och vaxvita med en kväljande doft. Jag bar folkdräkt, inte den vita klänning som min far hade krävt. Det var det enda jag bestämde själv.

Kvällen före satt jag i mitt rum med kartongen som min mors brudklänning var nedpackad i. Jag tog av locket och lyfte försiktigt upp klänningen, höll den framför mig. Höll den mot ansiktet, blundade och andades in. Men där fanns ingen doft. Det torra sidenet frasade mot min hud men hade inget att säga mig. Jag hängde slöjan över mitt hår och satt naken på en stol framför spegeln med spetsen fallande över axlarna. Jag betraktade mitt ansikte, den bleka ovalen med de blå ögonen som stirrade tillbaka på mig. Lät pekfingret glida längs ögonbrynen. Näsryggen. Läpparna. Jag höll upp händerna och tittade på dem, smekte den gräddvita huden på insidan av armarna. Löste upp flätorna, kammade mitt långa hår med fingrarna och lät det falla över axlarna och brösten. Mina ögon tog in varje detalj hos min kropp. Hudens exakta färg. De skära bröstvårtorna. Det blonda könshåret. Jag kupade händerna om brösten, strök över den platta magen och låren. Jag ville inpränta alltsammans i minnet innan jag lät det dö.

Morgonen därpå satte jag på mig min dräkt. Den tjocka yllekjolen, lintyget, linneblusen, förklädet, sjalen. De röda yllestrumporna och skorna med mässingsspännen. Sedan gick jag nedför trappan i min tjocka mundering och ut i sommardagen, mer frusen än någonsin tidigare. Efteråt sa folk att jag hade satt på mig begravningsdräkten – det mörka förklädet och inga smycken. Det är inte sant. Men jag bar folkdräkten i stället för mammas brudklänning, och den räckte inte för att värma mig.

Min man gifte sig med en gård. Han gifte sig med marken och huset. Åkrarna med råg och lin och potatis. Fruktträdgården och ängarna. Skogen och timret. Och han gifte sig med släktnamnet. Min far trodde att han hade förhandlat till sig en framtid för sig själv och gården.

Jag gifte mig med döden.

Kyrkan var så full att folk fick stå upp längst bak. Efteråt bjöd min far på en stor middag och gäster hade kommit så långväga ifrån som Stockholm. Många hade gjort det enbart för att titta. Jag gick uppför altargången vid min fars sida och handen som vilade på hans ärm var domnad. Än i dag, efter alla dessa år, kan jag se prästens ansikte när blicken i hans bruna ögon mötte min. Han var gammal och tjock och jag såg att han andades flämtande. Han hade svettpärlor i pannan. Men hans ögon var snälla. Jag fäste min blick på dem och höll den kvar där. Något annat minns jag inte.

Efteråt tittade jag på min fars och min makes rygg medan de skrev sina namn i vigselboken. De liknade ett par affärsmän som slutit ett avtal där båda parter var nöjda.

Jag var arton år.

Jag steg ut på kyrktrappan med handen på min mans arm. Gäster kastade risgryn över oss och jag såg de leende ansiktena och läpparna som rörde sig, men jag hörde inte ett ljud.

Alla åkte hem hit till bröllopsfesten. Min far hade låtit röja ur logen. De stora dörrarna på båda sidor stod öppna och alla bjälkarna var lövade med björkris. Långa bord var uppställda med vita dukar och ängsblommor på. Ett spelmanslag från bygden svarade för musiken, och när vår vagn rullade in på gården stämde de upp. Gästerna samlades, drycker bjöds runt, spelmännen spelade men för mig var allt en enda virvel av tystnad. Dödens tystnad.

När det bjöds till bords tog min far min hand och lyfte den för att vända mig en aning bort från sig. Hans blick svepte över min kropp innan han böjde sig fram och lät sina läppar snudda vid mitt öra. Han sa ingenting, men konjaksdoften stod kvar som ett moln runt mitt huvud. Sedan släppte han mig tvärt och så gick vi in.

Jag satt vid bröllopsbordet hela kvällen men hörde ingenting av talen, smakade inte på maten. Tiden hade upphört att existera. När min man reste sig efter middagen och sträckte ut handen samtidigt som han nickade mot dansgolvet tyckte jag det var så befängt att jag brast i skratt. Han tog min döda kropp i sina armar och förde oss stelt runt golvet medan en mur av svettiga ansikten tittade på. Så snart gästerna började delta i dansen släppte han taget om min midja, vände sig från mig och lämnade dansgolvet. Jag blev stående där en stund medan gästerna rörde sig runt mig. När jag lämnade logen var det som om den virvlande massan delade sig för att låta mig passera.

Utanför hade den vita dagen efterträtts av en vit natt. På den bleka himlen syntes inga stjärnor. Bakom syrenhäcken hördes skratt – en mans dova muller blandat med en kvinnas fnissande. Jag gick runt huset och satte mig i gräset bredvid smultronlandet. Jag gömde ansiktet i förklädet, men jag hade inga tårar.

Senare låg jag i sängkammaren på andra våningen. Min far hade flyttat in i det mindre sovrummet på andra sidan hallen och låtit pigan bädda dubbelsängen åt oss. Ingenting hade ändrats sedan min mors tid. Det var som om jag kunde känna konturerna av hennes kropp, min kropp passade in i dem. Jag låg på rygg med händerna ovanpå varandra, på det vita linnelakanet som täckte mitt bröst. Jag vred på den släta guldringen på mitt finger och tittade ut genom fönstret. Häggen stod vit av blom, och kronblad dalade som snö för den lätta vinden. I trädgården skrattade gästerna.

Solen hade kommit upp över horisonten när jag hörde hans steg i trappan. Han fumlade med dörren och sedan hörde jag hur han släppte skorna i golvet och klädde av sig. Jag låg stilla och blundade. Rummet fylldes med dunster, med hans lukt, och jag kämpade för att få luft. Han dunsade ner i sängen och hans varma kropp pressades mot min. Jag sjönk djupare ner i gropen i madrassen.

Han var en sådan obetydlig man. Första gången jag träffade honom stod han som en blek kopia bredvid min far. Mindre, yngre men ändå lik honom på något sätt. Han var kortväxt, och vid tjugofem års ålder hade han redan en begynnande flint. Med uttryckslös blick kikade han ut på världen genom tjocka glasögon.

Han blundade där han låg bredvid mig i juninattens besynnerliga ingenmansland. Så lade han sig över mig och pressade min kalla kropp ännu längre ner i madrassen. Hans händer trevade över min hud, hans andedräkt var i mitt öra, men min blick följde en spricka i taket, från det ena hörnet tvärs över hela den vita ytan. Min kropp vilade i min mors.

När solen nådde trädet utanför fönstret steg jag upp. Jag blev tvungen att kliva över hans sovande gestalt.

Han låg på rygg. Hans ansikte var tomt, ögonen slutna och munnen halvöppen; en rännil av saliv letade sig nedför hakan. Jag ställde mig vid fönstret och tittade ut men såg ingenting. Då hörde jag honom tala bakom mig. Rösten var en hes viskning.

"Alltsammans är mitt. Allt som du kan se genom det där fönstret. Mitt alltihop." Han harklade sig ljudligt och hostade upp slem. Jag vände mig om och såg på honom.

"Det finns ingenting här som är ditt", sa jag. "Ingenting."

Sedan började min långa väntan.

15

Den skall komma, denna stund,
denna isande minut ...

"Och nu när stunden äntligen är inne är jag rädd."
Astrid böjde sig framåt med armarna i kors över bröstet och blicken mot gräset invid fötterna. "Så rädd."
Veronika betraktade humlan som fortfarande höll på
med sin ensamma undersökning av smultronblommorna.

"Vill du att jag ska köra dig dit?" frågade Veronika.
Astrid vred på huvudet och tittade på henne, men sa
ingenting. "Jag följer med dig. Låt mig ringa till hemmet." Veronika satt bakåtlutad med benen utsträckta
framför sig, stödd på armbågarna som vilade i gräset.

"Det är inte honom jag är rädd för att träffa", sa
Astrid. "Jag är rädd för att stå ansikte mot ansikte
med mig själv." De satt tysta. Astrid lutade sig tillbaka i stolen med ansiktet vänt mot himlen och ögonen slutna. När hon började tala på nytt kom orden
långsamt, som om hon fick söka djupt inom sig för att
hitta dem.

"En sådan lång väntan. Jag lät livet rinna bort medan jag närde mitt hat, instängd i det här huset. Nu står det klart för mig att jag gjorde det till mitt fängelse. Jag sa mig att jag var trygg här. Jag sa mig att jag var tvungen att härda ut tills huset blev mitt. Jag kedjade fast mig vid det. Nu ser jag att i alla dessa år har jag väntat på att bli befriad fast det enda som någonsin bundit mig var de fjättrar jag smidde själv." Hon såg på Veronika, och ögonen var fyllda av en sådan sorg att Veronika måste vända bort blicken. "Och nu är stunden inne. Jag måste se sanningen i vitögat."

Veronika svarade inte utan sträckte bara upp handen och lade den på Astrids arm. Den gamla kvinnan tittade mot horisonten, och när hon fortsatte kisade hon som om hon försökte fokusera på en punkt mycket långt borta.

"Nu vet jag att det inte började med min man. Det fanns inom mig redan när jag gifte mig med honom." Hon tystnade och vilade huvudet mot stolens ryggstöd. "Det började här. Det började i det här huset."

16

Kung Liljekonvalje av dungen,
kung Liljekonvalje är vit som snö,
nu sörjer unga kungen
prinsessan Liljekonvaljemö.

ASTRID

Jag minns inte att min far någonsin rörde vid mig. Varken kärleksfullt eller i vrede. Han var bortrest långa tider, och mitt enda sällskap var en lång rad unga pigor som skötte huset. När han var hemma kom han sällan ut från sitt arbetsrum. Han talade nästan aldrig till mig, och när han gjorde det var det vanligtvis bara korthugget. Praktiska instruktioner, aldrig någonting personligt. Inte en enda gång nämnde han mamma, och instinktivt förstod jag att låta bli även jag. Jag tror inte att jag någonsin såg honom riktigt – som man, som människa. Barn ser antagligen aldrig sina föräldrar som människor. Inte förrän senare, när jag tittade på fotografier av honom, upptäckte jag hur han egentligen såg ut. Mycket blond med ett ovalt, fullkomligt symmetriskt ansikte, mjuka läppar, rak näsa. Det mest slående hos honom var ögonen – mycket ljust blå, som is, och nästan genomskinliga, som upplysta inifrån. På en kvinna skulle det ha varit ett vackert ansikte, men på en man var det störande. Alltför bildskönt. Jag brukade få höra att jag liknade min far, men jag har aldrig sett likheten. Jag har aldrig tänkt på mig själv som vacker, inte ens när jag kanhända var det.

Han var inte särskilt lång och han hade en ganska spenslig kroppsbyggnad. Händerna var mycket vita med långa fingrar. En students händer, inte en bondes. Han skickades till Uppsala, till universitetet, men jag tror inte att han någonsin tog någon examen. Det hade aldrig tidigare hänt att någon härifrån trakten läste vid universitetet. Det särskiljde honom, på ett slutgiltigt sätt. Men när farfar blev sjuk kallades min far hem för att ta över skötseln av gården.

Han hade träffat min mor vid universitetet, tror jag. Jag har försökt föreställa mig vad det var som förde dem tillsammans, denne svage och obetydlige man och min långa, vackra, skrattande mor. Jag kan omöjligt fatta det. Men precis som vi är oförmögna att se objektivt på våra föräldrars utseende tror jag att vi är oförmögna att föreställa oss deras liv tillsammans. Jag vet bara att allt det goda inom min mor dog här. Jag kan inte på något sätt föreställa mig min fars reaktion. Det enda jag kommer ihåg är min egen ensamhet, min egen sorg. I minnet står jag alltid ensam vid fönstret när hon reser sin väg. Var fanns min far?

Livet ut bar han sin vigselring. På den andra handens ringfinger hade han en signetring av silver. Om kvällarna brukade han sitta i sin fåtölj i arbetsrummet med ett glas konjak i handen, och när han knackade med fingret mot glaset klirrade det.

Jag tror att det kanske hade varit lättare om det hade hänt regelbundet. Som det var levde jag i ständig skräck efter den första gången, med öronen på helspänn för att uppfatta minsta ljud eller rörelse i huset. Bara när jag visste att han var bortrest kunde jag andas fritt.

Det var just när vårterminen hade slutat. På försommaren det år då jag fyllde tretton. Jag var uppe i mitt rum. Jag hade plockat liljekonvaljer och höll på att sätta dem i två små vaser, en till skrivbordet och en till nattygsbordet. Det var som om jag känt ljudet innan jag hörde det. Som en förvarning i form av ett kallt drag. Sedan kom ljudet. Han ropade på mig. Det enda ordet flög genom det tysta huset som en kulblixt. Min far talade sällan till mig, och han använde aldrig mitt namn. Men där var det: "Astrid!" Han ropade inte högt, ändå var det ett öronbedövande ljud som kom rullande uppför trappan och in i mitt rum. Blommorna föll ur min hand och spreds över skrivbordet. På ett ögonblick försvann den värld där små flickor som jag plockade liljekonvaljer. Jag befann mig på ett nytt område där det bara fanns vi två.

Min far var i arbetsrummet när jag kom ner. Han hade dragit för gardinerna och satt i sin fåtölj med ett glas i handen. Jag stannade på tröskeln, stel, med armarna längs sidorna och händerna hårt knutna. Med en nick uppmanade han mig att komma in. Jag ställde mig framför honom och han stirrade på mig. Hans bleka ögon lyste; i det svaga ljuset glödde de som eld. Den uttryckslösa blicken höll mig fast medan han öppnade munnen och sa åt mig att klä av mig.

Mina stela fingrar fumlade med knappar och spännen och hela tiden stirrade han på mig utan att röra sig. När jag stod naken framför honom lät han blicken sakta vandra över min kropp. Inte ett ljud hördes: allt var tyst i denna nya värld. Efter en hel evighet vinkade han åt mig att vända mig om. Jag stod med ryggen mot honom och stirrade på det delvis uppbrunna vedträet i öppna spisen framför mig. Det enda som hördes var det rytmiska frasandet av ylle mot ylle, hans arm mot hans byxor. Tid gick. Hela min ungdom gick.

Inte förrän jag hörde hans steg över golvet och dörren som stängdes vände jag mig om. När jag böjde mig ner för att plocka ihop mina kläder kändes det som om min kropp aldrig mer skulle kunna röra sig riktigt. Fötterna var domnade och benen stela; med svårighet tog jag mig uppför trappan. Sakta gick jag genom hallen på övervåningen med klädbyltet som ett lik i famnen. Jag låste in mig i badrummet och fyllde tvättstället med kallt vatten. Sedan gnuggade jag mig med en tvättlapp över hela kroppen tills huden sved. Så grät jag äntligen. Jag satt på golvet med tvättlappen över ansiktet och grät tills jag inte hade några tårar kvar.

När jag hade gått och lagt mig doftade det fortfarande liljekonvalj i rummet. Jag låg fullkomligt orörlig, på rygg, med armarna i kors över bröstet. För ett ögonblick såg jag mig själv som på avstånd, som om jag betraktat mig ovanifrån. Jag såg varenda liten detalj: håret som fortfarande var prydligt flätat, täckets mönster, det vita skrivbordet med de kringspridda blommorna. Och jag ville ställa allt till rätta igen. Jag ville återbörda den lilla flickan i sängen till världen före. Men det var omöjligt. Jag kunde bara lämna henne där hon var.

17

Där finns bara frånvaron, sittande,
av en människa som för längesen gått,
en aning lutad mot armstödet
omgiven av natt.

Veronika stod med handen lyft, på väg att knacka, när Astrid öppnade dörren. Hon måste ha stått och väntat. Den gamla kvinnan hade inte lagt ner någon möda på att göra sig presentabel: samma gamla säckiga manchesterbyxor och den rutiga flanellskjortan med uppkavlade ärmar.

När deras blickar äntligen möttes tvärs över biltaket var Astrids naken och vidöppen. Med ett uttryck av skräck såg hon in i Veronikas ögon. Blicken var som ett barns, den dolde ingenting. Klockan var lite över nio när de åkte, och medan de körde nedför grusvägen stod ett moln av damm bakom dem. Astrid satt hopsjunken med händerna mellan sina sammanpressade knän och stirrade rakt fram.

De åkte under tystnad. Trafiken var tätare än vanligt på grund av den stundande midsommarhelgen. Veronika slog på radion och tog in lokalstationen som spelade lätt sommarmusik. Hon hade sidorutan nedrullad en springa, och vindbruset tävlade med musiken. Ingen av dem sa någonting under hela färden, och Veronika undrade om Astrid kanske sov.

De svängde av från huvudvägen och var framme vid vårdhemmet strax före tio, i lagom tid för att träffa föreståndarinnan, så som de avtalat. Byggnaden var en trist skapelse från 1970-talet: tre låga huskroppar målade i mörkgrönt och sammanbundna av inglasade passager. Inget vatten sprutade ur munstyckena på den lilla betongfontänen som stod i mitten av en rund rabatt där spinkiga rosenbuskar kämpade i jord torr som aska.

De gick uppför metalltrappan till ytterdörren och steg in. Det var tomt i väntrummet; den stillastående luften luktade rengöringsmedel och döende kroppar, menlös mat och krystad glättighet. På den lilla disken till höger stod en vas med slokande blåklint, men stolen var tom. När Veronika tryckte på klockan kom en kvinna ut genom dörren bakom disken. Hennes gummisulade skor gnisslade när hon kom gående över den blanka linoleummattan. Kvinnan var medelålders och hade ett intetsägande ansikte. Figuren var bastant och uniformen, som stramade över byst och mage, satt som gjuten på henne. Leendet var yrkesmässigt lugnande när hon sträckte fram handen för att hälsa.

"Jag är syster Britta", sa hon.

Veronika såg på Astrid som stod där passiv med händerna hängande rakt ner. För ett ögonblick svävade sköterskans hand i luften mellan de tre kvinnorna. Ingen brydde sig om den förrän Veronika grep den.

"Och du måste vara dottern", fortsatte syster Britta. Veronika gav Astrid en hastig blick, men den gamla kvinnan bara stod där orörlig med tom blick.

"Nej, nej", sa Veronika. "Bara en vän." Hon insåg att sköterskans antagande hade varit mycket rimligt. Till sin förvåning upptäckte hon att hon inte hade något emot det.

De visades in på en liten expedition med ett skrivbord framför vilket det stod två plaststolar. Sköterskan satte sig bakom bordet och tecknade åt Veronika och Astrid att slå sig ner. Solsken flödade in mellan persiennspjälorna i fönstret bakom föreståndarinnan så att hennes ansikte vilade i skugga, inramat av krusigt hår som om det varit omspunnet av spindelväv.

"Herr Mattson har inte långt kvar", sa hon. "Som jag förklarade för fru Mattson i telefon finns det inget mer vi kan göra för honom. Det har varit en mycket utdragen process, men nu är det en fråga om dagar, kanske timmar." Hon knäppte händerna framför sig på skrivbordet. "Fru Mattson har ju inte kommit på besök så ofta ..." Rösten dog bort. "Men eftersom det nu rör sig om en mycket kort tid, en *mycket* kort tid, tänkte jag att fru Mattson kanske skulle vilja ta tillfället i akt och säga farväl ordentligt."

Det blev tyst i rummet, och de hörde hur det spolades i en toalett och klirrade av metall mot metall.

Sköterskan nickade gillande för sig själv. Hennes knäppta händer på den blanka bordsskivan låg stilla. Fåglar kvittrade och in genom fönstret trängde doften av nyklippt gräs. Där ute fortsatte livet; inne i det lilla rummet förbrukades luften av dödens närvaro.

"Låt mig se honom."

Orden yttrades med låg röst, ändå tycktes de få alla andra ljud att upphöra. Till och med fågelsången verkade tystna ett kort ögonblick. Astrid reste sig och stödde sig tungt på stolsryggen. "Jag vill se honom nu."

Han låg i ett rum med två platser, men den andra sängen var tom. Rummet vette mot norr, och trots det varma vädret verkade det kallt; luften var unken och stillastående. Där såg inte ut att finnas några privata tillhörigheter. Gestalten i sängen var lika livlös som stolen med plastöverdraget i hörnet och de grårandiga gardinerna som utgjorde en trist inramning till fönstret. De stod vid sängens fotända och såg på den orörliga varelsen. Veronika kunde inte se några livstecken. Ansiktet var en vit pappersmask berövad all personlighet. Ögonen var slutna. Kroppen verkade så lätt att den knappt gjorde något avtryck i vare sig madrassen eller kudden, och på den vita bomullsfilten som var hårt sträckt över sängen och instoppad under madrassen fanns inte en rynka. Det var en människa reducerad till en neutral fysisk form: lemmar och organ, men ingen identitet. Det var omöjligt att föreställa sig den man som en gång bott i denna kropp.

"Jag är här för att se dig dö, Anders", sa Astrid till den orörliga kroppen. "Och jag stannar tills det är över." Var orden avsedda som en tröst? Eller ett hot? Veronika såg på den gamla kvinnan, men hittade ingen ledtråd i det bleka ansiktet. Astrids blick vilade uttryckslös på patienten. Hon stod vid fotändan av sängen utan att röra vid den, med händerna knäppta på ryggen.

Veronika lämnade rummet och gick tillbaka ut i väntrummet. Sköterskan hade intagit sin plats bakom disken. Hon tittade upp och gav Veronika ett av sina avmätta, professionella leenden. "Det är alltid svårt, men vi klarar det bra här", sa hon. Veronika satte sig på en av stolarna i väntrummet. Klarar vad då? tänkte hon. Hade någondera av dem en aning om vad som utspelade sig mellan de där båda människorna? En döende man och hans hustru – eller en kvinna med ett liv att sätta punkt för?

Så småningom gick Veronika ut och satte sig i gräset under några björkar. Det dröjde en dryg timme innan Astrid steg ut på trappan. Veronika gick fram till henne där hon stod och kisade i det skarpa ljuset med handen på räcket. Hon gjorde en ansats att omfamna den äldre kvinnan, men lät armarna sjunka igen och lade bara den ena handen på Astrids arm när de gick nedför trappan. De fortsatte till en av bänkarna som stod vända mot den torrlagda fontänen i rabatten och satte sig.

"Det kan ta veckor, men det kan också vara slut i dag. Det vet ingen", sa Astrid. "Doktorn kommer klockan tre."

De körde till närmaste by för att få lite mat i sig. Valet stod mellan ett litet kafé och en korvkiosk. Kaféet var tomt och där luktade kaffe som stått på värmeplattan i flera timmar. De satte sig vid ett av de små borden med blå och vitrutiga plastdukar. Inte en människa syntes till. Veronika hällde upp var sin kopp skållhett, fränt kaffe ur kannan på disken. När hon satte sig dök en ung flicka upp och de beställde två skinksmörgåsar som serverades snabbt och var både fräscha och generöst tilltagna. Ändå låg Astrids orörd på assietten medan hon läppjade på kaffet.

Med koppen mellan båda händerna såg hon på Veronika och sa: "Du behöver inte stanna. Jag klarar mig ensam."

Veronika mötte den gamla kvinnans blick. "Det är klart att jag väntar. Vi får höra vad doktorn säger."

De körde tillbaka till vårdhemmet och satte sig i skuggan på en bänk. Veronika hade köpt en dagstidning och läste den; Astrid satt tyst med slutna ögon. Kvart över tre kom läkaren körande i en gammal dammig Volvo kombi. Hon var uppenbarligen förvarnad och vinkade åt dem och bad dem följa med in.

På nytt visades Astrid och Veronika in på den lilla expeditionen. Läkaren var ung och solbränd, klädd i urblekta jeans och ärmlös topp, som om detta bara var ett tillfälligt inhopp i jobbet under semestern. Men hon hade ett vänligt ansikte och lyckades dölja all eventuell otålighet.

"Jag kan inte säga exakt hur lång tid det är kvar." Hon talade inte dalmål, och Veronika tänkte att hon kanske var sommarvikarie. Läkaren försökte utan framgång att etablera ögonkontakt med Astrid, sedan riktade hon blicken mot Veronika. "Din fars hjärta är svagt." Hon kastade en blick på journalen som hon hade framför sig på skrivbordet.

Hon känner inte patienten, tänkte Veronika. Kanske det här är första gången hon ser journalen. Och nu lät hon det felaktiga antagandet passera.

"Som syster säkert redan har sagt kan det vara en

fråga om timmar. Möjligen dagar. Men inte någon lång tid." Hon riktade blicken mot Astrid. "Ni får komma och gå som ni vill, men på natten har vi bara en sköterska på plats, och det vore bäst om ni antingen stannade hela natten eller gick härifrån klockan tio och kom tillbaka i morgon bitti."

"Jag stannar under natten. Jag stannar så länge som det behövs", sa Astrid med blicken mot fönstret bakom läkaren.

En sköterska följde dem tillbaka till rummet och gick sedan för att hämta en stol till. De placerade båda stolarna vid fönstret och satte sig. Genom den stängda dörren hörde de lätta steg, dörrar som öppnades och stängdes, då och då en dämpad röst. Utanför fågelsång, det avlägsna ljudet från en och annan bil. Men inne i rummet var det fullkomligt tyst. Veronika visste inte säkert om Astrid var vaken. Hon satt tillbakalutad i stolen med slutna ögon. Men det allra svagaste ljud från sängen fick henne att räta på sig, klarvaken och skärpt. De väntade. Dagen avtog utanför, men den vita midsommarkvällen gav dem fortfarande allt ljus de behövde.

Sköterskan knackade lätt på dörren strax före tio innan hon skulle sluta. Hon gick fram till sängen och kontrollerade patienten, slätade till den redan släta filten, nickade mot de båda kvinnorna och gick. Lite senare upprepades proceduren av nattsköterskan. Hon presenterade sig, kontrollerade patienten och sa till dem att ringa om de behövde henne.

I tystnaden som sedan följde slumrade Veronika till.

Hon vaknade med ett ryck, oförmögen att avgöra

hur länge hon hade sovit. Astrid stod vid fotändan av sängen och talade lågmält. Veronika kunde inte uppfatta orden och satt kvar i stolen utan att röra sig. När hon vaknade nästa gång stod Astrid vid fönstret. Den gamla kvinnan avtecknade sig som en svart silhuett mot den vita gryningsdagern utanför. Hon höll armarna omkring sig som om hon frös. Plasten prasslade när Veronika ändrade ställning i stolen.

Utan att vända sig om sa Astrid: "Vi kan åka nu. Det är slut."

En stund senare körde de sakta hemåt längs tomma vägar. Det var lika ljust som en mulen dag, men den absoluta stillheten kunde bara tillhöra natten. Klockan var lite över ett. De färdades i en värld där det inte tycktes finnas några fler invånare. Inte förrän Veronika vred på huvudet för att se efter om den andra kvinnan var vaken märkte hon att Astrid grät. Ljudlöst rann tårarna nedför kinderna och droppade på händerna som hon höll i knäet med uppåtvända handflator. Veronika vände bort blicken och höll den riktad mot vägen under resten av körningen.

När hon till slut stannade utanför Astrids hus hade solen precis kommit upp över horisonten. Det var midsommarafton, årets längsta dag. Veronika gick runt till passagerarsidan och öppnade dörren. Astrid satt som förut med tårarna strömmande, och Veronika måste ta ett försiktigt tag om hennes arm och stödja henne när hon steg ur bilen. Hon behöll sitt grepp medan de gick fram till dörren.

"Ska jag följa med dig in en liten stund?" frågade hon när Astrid försökte hitta nycklarna i byxfickan.

Det kom inget svar, men när Astrid steg in lämnade hon dörren öppen. Veronika följde efter och stängde bakom sig.

Astrid stod vid köksfönstret. De första solstrålarna sköt in genom glaset, guldtrådar som skar genom luften och landade på golvbrädorna.

"Det är inte över honom", sa hon. "Som jag gråter. Det är inte över honom. Det är över mig själv."

Veronika gick fram till Astrid och tog henne i sin famn. Tysta stod de en stund medan hon höll om henne.

"Låt mig hjälpa dig i säng", sa Veronika.

"Där uppe. Jag tror att jag ska sova där uppe i natt", sa Astrid. Sakta tog de sig uppför trappan till andra våningen. Medan de gick genom den stora hallen till sängkammaren lekte morgonsolens strålar med dammet som deras fötter rörde upp. Astrid öppnade dörren och de steg in. Fortfarande stödd på Veronikas arm gick den gamla kvinnan fram till dubbelsängen där överkastet var nedvikt från kuddarna. Hon satte sig och tog av sig skorna, sedan hejdade hon sig ett ögonblick. Den vita rullgardinen var neddragen, men den nya dagens tilltagande ljus trängde ändå in tillsammans med ljuden från fåglarna som vaknade. Astrid drog upp fötterna och lade sig ner. Hon vände sig mot väggen och kurade ihop sig på sidan.

Veronika såg på den gamla kvinnans rygg, de alltför stora strumporna som var trådslitna på hälen. Den smala ryggen innanför den skrynkliga skjortan. Så böjde hon sig ner och tog av sig skorna och lade sig på sängen, makade sig till rätta bakom Astrid, och medan natt blev dag låg de så intill varandra, klarvakna.

"Det finns en man i Stockholm", sa Veronika tyst. "Han heter Johan. Jag skulle vilja berätta om honom."

18

Vem spelar i natten om dig och mig
på en flöjt, en liten flöjt av silver?
Vår kärlek är död. När talte jag till dig.
– En flöjt, en liten flöjt av silver.

VERONIKA

Jag har känt Johan så länge att jag ibland glömmer att det fanns en tid när jag inte gjorde det.

Han ringde till mig i London och bad mig komma hem till jul. Rösten lät så nära, han kunde lika gärna ha ringt från rummet bredvid. Jag tittade på fönstren där regnet rann som svarta tårar. James gåva till mig var en ny mobiltelefon, en med kamera. På kortet hade det stått att han ville se mig när jag ringde. Och när han ringde från Auckland lyssnade jag medan han berättade om havet, surfingen och det blommande citronträdet i hans mors trädgård medan hans ansikte log mot mig från den lilla rutan. Jul på stranden, grillfester, surfing, solsken och jordgubbar. Men orden hade nått mig över en avgrund, obestämda och avlägsna. Jag hade tryckt telefonen hårt mot örat, men det var som om regnet som föll mellan oss gjorde både ljudet och bilderna oklara.

Jag flög från Heathrow tre dagar före jul. Johan hade erbjudit sig att hämta mig på Arlanda, men jag hade tackat nej. Jag var inte säker på om han skulle vara där i alla fall och blev lättad när han inte var det. I Stockholm var det lika mörkt och blött som i London, fast kallare, och gatorna var täckta av grå snömodd. Jag tog bussen in till stan och sedan tunnelbanan. Det var sent på eftermiddagen och det rådde ett kompakt mörker som juldekorationer och gatubelysning lättade upp på ett overkligt sätt. Tåget var fullpackat och luktade sorgset av ylle och svett. Vid Karlaplan steg jag av och drog resväskan bakom mig genom snön. Jag njöt som ett barn när det iskalla vattnet trängde in i mina skor för varje olyckligt steg jag plaskade framåt i modden. Så gick jag över till andra sidan gatan och fram till hyreshusets glasdörr. Jag knappade in koden och lutade reflexmässigt axeln mot dörren för att skjuta upp den. När jag insåg att den inte skulle öppnas, att koden måste ha blivit ändrad, kände jag en lätt stöt av irritation – och besvikelse.

Takkronan på andra sidan glaset spred ett varmt, gult ljus, men jag var utestängd och mina fötter hade domnat av vätan. Stora, glesa snöflingor singlade över mig och smälte så fort de landade på mitt hår och mina axlar. Jag tryckte på porttelefonen och Johan svarade genast, som om han hade stått på pass. Jag tog hissen upp till fjärde våningen. Han väntade i den öppna dörren med ljuset bakom sig och jag kände matos. Han verkade längre, som om han hade växt medan jag var borta. Han omfamnade mig lätt, snuddade med sin kind vid min innan han böjde sig ner och tog min resväska. Det förvånade mig att jag lade märke till att han bytt rakvatten.

När jag följde efter honom in såg jag små nytillskott och förändringar: ett inramat tryck på väggen vid köksdörren, en pall precis innanför dörren, en murgröna i kruka på fönsterbrädan. Lägenheten såg likadan ut, men ändå helt annorlunda. Jag hade varit borta i nästan ett år, men det kunde ha varit mycket längre. Det kändes som om det var i ett annat liv jag hade bott där. Vi hade lagt ner mycket tid på renoveringen och med möda gjort allt arbete själva samtidigt som vi pluggade och jobbade. Det var en liten lägenhet – bara ett stort rum, kök, badrum och hall. Jag hade älskat köket. Där fanns en gasspis och vi hade köpt begagnade skåp – en del antika, inga inbyggda. Alla var fristående.

När jag nu stod i dörröppningen och tittade på Johan som stekte strömming, min älsklingsrätt, insåg jag att den här platsen inte längre tillhörde mig. På en tallrik hade han en liten hög rensade strömmingar, på en annan hackad dill och på en tredje grovt rågmjöl. Metodiskt placerade han två av de små fiskarna med skinnsidan ner, strödde dill på den ena, saltade och pepprade, lade ihop dem, tryckte till och vände dem i rågmjölet. Händerna rörde sig försiktigt, som om han hade övat in momenten för att vara säker på att det blev rätt. Sedan makade han upp strömmingsflundrorna på stekspaden och lät dem glida ner i det heta smöret i stekpannan.

Han verkade helt försjunken i arbetet, men plötsligt

tittade han upp med ett leende och ryckte på axlarna, som om han kände sig förlägen. Jag log tillbaka och gick in i rummet. Fönstret hade immat igen av ångan från den kokande potatisgrytan på spisen. Han hade dukat för två på det långa bordet. Tallrikarna stod direkt på bordsskivan, utan underlägg. En korg med vita hyacinter och vitmossa stod bredvid adventsstaken där alla fyra ljusen var tända. I kakelugnen i hörnet brann en brasa. Det värkte i halsen när jag barfota tassade omkring i rummet och långsamt blev varm om fötterna. Från cd-spelaren hördes Johans musik. Jag hade inte lagt märke till den när jag var i köket, men nu kände jag genast igen den. Han hade varit så lycklig när han skrev den eftersom han precis hade kommit in på Musikhögskolan. Det var Alla Helgons dag och vi hade tagit en lång promenad ut till Haga och tillbaka, förbi Norra kyrkogården där tusentals gravljus fladdrade i den tidiga kvällens dis. Han hade hållit armen om mina axlar och sagt att han aldrig tidigare varit så lycklig. Och när vi kom hem spelade han den. Musiken var som den dagen: fylld av intensiv glädje och djup ro.

Jag gick till badrummet och lät vattnet rinna medan jag lutade mig mot tvättstället. Två handdukar hängde på två likadana krokar: en använd, en nyss upphängd med veck som fortfarande var skarpa. Jag sköljde av ansiktet med kallt vatten och gned den oanvända handduken mot kinderna.

Vi satte oss på våra vanliga platser vid bordet för att äta: Johan vid väggen, jag med ryggen ut mot rummet. Plötsligt kom jag att tänka på att jag inte hade sett till min katt.

"Var är Loa?" frågade jag. Johan dröjde en stund med svaret medan han lade upp strömmingen. "Du har väl inte avlivat henne?"

Han tittade upp och riktade sina grå ögon mot mig. "Det klart jag inte har." Han ställde ner strömmingsfatet på bordet och tog karotten med potatismos innan han sa något mer. "Vi har bara varit så olyckliga båda två. Hon gick omkring och letade efter dig i lägenheten varenda kväll innan hon resignerade inför faktum: du var inte här. Och jag kom på mig med att göra likadant. Drev rastlöst omkring och väntade mig halvt om halvt att hitta dig i sängen när jag kom tillbaka. Och när jag så äntligen lyckades låta bli att tänka på dig en stund dök Loa upp och fixerade mig med sina sorgsna, anklagande ögon. Om jag inte kunde sova väckte jag henne. Om jag sov väckte hon mig med sitt eviga kringtassande. Vi påminde varandra om vår bedrövelse hela tiden." Han hällde upp vin. "Så jag åkte ut till mamma på ön med henne. Två äldre damer, båda desillusionerade – de verkar trivas tillsammans." Han tittade upp och log. "Om du stannar hämtar vi hem henne igen." I stället för att svara lyfte jag mitt glas. Han lyfte sitt samtidigt som han sträckte ut andra handen och rörde vid min arm.

"Ni kommer i alla fall att träffas på julafton allesammans. Mamma har bjudit oss på traditionell vegetarisk julmiddag. Ingen skinka men massor av fint vin. Vi blir tvungna att stanna över natten, förstås. Det kommer att bli trångt, nio personer i hennes lilla hus. Men vi är samlade igen. Maria och Tobias har kommit ner från Umeå och så har mamma bjudit sin gamla vän Birgitta och hennes son Fredrik. Och jag har bett Simon och Petra komma. Simon och jag har försökt hålla ihop bandet, men de senaste månaderna har vi inte haft mycket tid över." Han lutade sig bakåt mot väggen och såg rakt på mig. "Om du inte har andra planer, förstås", sa han med ett generat tonfall. Som om han ångrade att han hade glömt sig och pratat för mycket.

"Nej då, jag har inga andra planer. Det låter fint. Tack." Jag drack en klunk vin och lyssnade på musiken.

Vi åt färdigt, dukade av och tog hand om disken så som vi alltid hade gjort: Johan diskade och jag torkade. Sedan bryggde han kaffe och så slog vi oss ner vid bordet igen. Vi satt tysta i det fladdrande ljusskenet. Utanför det mörka fönstret föll snön. Johan lutade sig fram och tog mina händer.

"Jag är så lycklig, Veronika. Just nu är allting perfekt. Jag struntar i morgondagen. Jag är här nu. Med dig. Och jag är lycklig."

När jag kom ut ur badrummet hade han öppnat fönstret. Snöflingor seglade in och smälte till vattendroppar på golvet. Jag tog bort överkastet och kröp ner i sängen. Det var mörkt i rummet bortsett från ljuset från gatubelysningen och den falnande brasan i kakelugnen. Johan gick ut i badrummet; jag låg stilla och följde snöflingorna med blicken.

När han kom tillbaka stängde han fönstret och kakelugnsluckorna. Han kröp ner i sängen som en katt, nästan utan att rubba sängkläderna. Jag hade vänt mig på sidan med ansiktet mot väggen. Han lade sig ner och jag kände en pust av tandkrämsdoft. Jag låg stilla, han låg stilla. Så kände jag hans handflata mot ryggen. Inte påträngande. Den rörde sig bara sakta nedåt. Sedan vände han sig med ryggen mot mig och hans fotsula snuddade vid min.

När jag vaknade var platsen bredvid mig tom, men när jag sträckte ut handen kände jag att lakanen fortfarande var varma. Jag hörde Johan röra sig i köket. Det luktade rostat bröd. Jag steg upp, svepte filten omkring mig och gick ut till honom. Ett ögonblick blev jag stående i dörröppningen och såg på honom. Han hade ryggen vänd mot mig och lastade just en bricka med muggar, assietter, brödkorg, marmelad och ost. Ljusen på bordet var tända igen. Kaffet rann genom filtret i den elektriska bryggaren. Han var iförd sin gamla gröna badrock, och de urblekta pyjamasbyxorna nådde bara ner på halva benet. På fötterna hade han ingenting. Jag gick fram till honom. Inlindad i filten tryckte jag mig mot hans rygg och slog armarna om hans midja. Han sa ingenting, hejdade sig bara lite med brödkorgen i handen.

"Jag måste snart gå", sa han när vi satte oss för att äta. Jag kastade en blick mot fönstret, men det fanns ingenting som sa hur mycket klockan var. Det snöade men var alldeles kolmörkt. "Ska bara avsluta en del saker – det är min sista arbetsdag före jul. Vi skulle kunna ta den första skärgårdsbåten i morgon bitti." Jag höll en mugg med båda händerna och blåste på det heta kaffet.

"Okej. Jag ska julhandla lite", sa jag och kände en hastig ilning av någonting som liknade förväntan.

När jag steg ut genom porten var världen ett dämpat skymningsland där människor pulsade i snö till anklarna och lyfte fötterna högt i luften som vadarfåglar. Gatubelysningen var fortfarande tänd, trots att klockan var nästan tio.

Jag gick Sturegatan ner, korsade Stureplan och fortsatte längs Biblioteksgatan. Affärerna öppnade just och fönstren strålade av ljus. Min promenad gick vidare över Norrmalmstorg där julhandeln låg i startgroparna inför årets försäljningstopp.

Mobilen ringde just när jag steg in på NK. Jag lyckades trassla av mig ryggsäcken och gräva fram telefonen ur ytterfickan innan den tystnade. Ivrig höll jag den till örat. "Veronika", sa jag samtidigt som jag placerade handen över det andra örat.

"Det är James", sa han. Sedan följde en lång paus och jag undrade om kontakten brutits, men så sa han: "Jag saknar dig."

Jag stod i entrén, alldeles varm om ryggen av varuhusets värmesluss, med den kalla vinden i ansiktet. "James." Jag tittade ut mot gatan där bilarna kröp fram som jättefiskar i ett akvarium. Strålkastarna gjorde ljustunnlar i snöyran.

"Var är du?" frågade han.

"Jag är i Stockholm. Det är jul", sa jag och hörde hur dumt det lät. "Jag bestämde mig för att åka hem över helgerna", tillade jag.

Han skrattade, och plötsligt mindes jag hur det kändes att skratta.

"Kom till Nya Zeeland, Veronika. Kom hit till mig", sa han. "Det är jul här också. En gång om året. Och resten är inte så tokigt det heller. Kom och lev med mig i den nya världen." Jag sänkte telefonen från örat och studerade hans ansikte på displayen. Hans hår hade blivit långt, tänkte jag. Jag lyfte ansiktet och lät snöflingorna landa på huden.

När han fortsatte att tala hade jag bestämt mig.

Jag gick genom Kungsträdgården där raderna av almar hade vita konturer, som om man spritsat kristyr på dem. Den lilla isbanan var full av skridskoåkare som gled runt i graciösa svängar till musiken. Flingor virvlade i luften. Jag passerade Operan och gick över bron till Gamla stan. Vattnet ångade och änder och svanar skockades på iskanten längs kajen. Fåglarna trampade med fötterna och stirrade hungrigt på de förbipasserande.

Jag strosade genom trängseln på Stortorget. Luften var fylld av dofter: glögg, pepparkakor, stearinljus och rökt kött. Mitt på torget stod en liten kör och sjöng julsånger a cappella. Små vita moln syntes framför munnarna.

Jag kände det som om mina sinnen plötsligt hade vaknat. Som om jag registrerade saker, samlade bilder för framtiden. Jag skulle resa. I ett infall hade jag bestämt mig för att resa till andra sidan jorden, till en man som jag knappt kände. Så att jag skulle kunna skratta igen.

På kvällen gick vi på Blå Porten. Johan hade beställt bord. Där var levande ljus, och matsedeln var fortfarande densamma. Hans hår var vått och han bar på några plastkassar som han stuvade in under stolen. Vi delade en flaska rödvin. Han satt mitt emot mig och gnuggade händerna mot varandra; jag mindes att han alltid var väldigt frusen om fingrarna. "De är iskalla", sa han med ett generat leende och blåste i sina kupade händer. Jag såg på hans ansikte och sparade även det. De grå ögonen med ögonvitor vitare än några andra jag någonsin sett, nästan ljusblå. De ljusa, uppåtsträvande ögonfransarna. Den långa böjda näsan. Det fina blonda håret som kanske snart skulle börja glesna. Det slog mig att vi måste se ut som ett lyckligt par som gått ut för att äta middag i julstöket. Älskande. Som hade det bra tillsammans.

Vi åt och pratade. I det varma ljusskenet gick det att stänga ute omvärlden för en stund. Vi beställde kaffe med vispgrädde och ögonblicket kröp närmare, som ett moln vid horisonten.

När jag berättade det för honom visste jag att jag aldrig mer ville orsaka någon en sådan smärta. Kanske ljuset spelade mig spratt, men det var som att se någon dö. Som om plötsligt allt liv runnit bort från både ansiktet och kroppen. Han satt blickstilla med vidöppna ögon. Bara hans händer rörde sig, om varandra, om och om igen. Så började tårar falla på fingrarna. Han gjorde inget försök att torka bort dem. Det fanns ingenting jag kunde säga och vi satt där tysta medan gästerna vid de andra borden fortsatte att äta, skratta, prata. Som om ingenting hade hänt. Till slut ursäktade han sig och gick på toaletten. Jag betalade och väntade i foajén när han kom ut igen.

Vi tog en taxi hem. När vi kommit upp i lägenheten satte vi oss vid bordet och drack whisky. Vi sa inte mycket. Jag sa att jag kanske inte borde följa med hem till hans mor dagen därpå.

Han såg på mig och teg. Efter en stund reste han sig och gick ut i köket. "Vi kan väl vänta till i morgon med att bestämma det", sa han med ryggen vänd mot mig.

Morgonen därpå var det som om vi hade kommit fram till samma beslut båda två. Vi visste att jag inte skulle följa med. Johan packade sin väska. "Jag följer dig till båten om jag får", sa jag. Han vände sig inte om för att se på mig men bad mig ringa efter en taxi. Snöfallet hade upphört under natten, men gatorna var ännu inte röjda. Hela staden var polstrad i vitt, alla ljud dämpade. Vi stod i snön på en av kajerna framför Grand Hôtel och väntade på att grinden till skärgårdsbåten skulle öppnas. Solen gick upp och lyste på några av de gamla husen på andra sidan vattnet längs Skeppsbron. Johan stod och höll i kassarna med julklappar; det fanns ingenstans att ställa ifrån sig dem. När grinden öppnades vände han sig om och lade armarna om mig så att kassarna dunsade lätt mot baksidan av mina ben. "God jul, Veronika", viskade han. Så tog han ett steg tillbaka med blicken på en punkt på marken mellan våra fötter. "Jag hade fel, Veronika", sa han och tittade upp. "Nuet räckte inte. Jag ville ha framtiden också." Därpå vände han sig bort och gick ombord på båten, utan att se sig om.

19

Till sorg blev minnet givet;
begär du frid, så glöm!

Astrid hade inte rört sig och hennes andhämtning var lätt. Det var tyst i rummet sånär som på surret från ett par sömniga flugor på fönsterbrädan. Veronika blundade och fortsatte.

"Jag lämnade Johan där, och för mig är han som stelnad i tiden. Det enda jag ser är hans rygg. Aldrig hans ansikte."

Hon teg en stund.

"Det är sorgligt att förlora en älskad människas ansikte", sa Astrid med låg röst. "Så sorgligt. Vi tror kanske att det blir lättare om vi inte ser ansiktet."

Veronika betraktade Astrids nacke framför sig. Håret var bakåtstruket från ansiktet, och grå testar bredde ut sig över kudden. Veronika greps av en impuls att smeka huvudet, men hon behöll händerna instoppade under kinden.

"Fast det är inte sant. Det får det bara att göra ännu mer ont." Astrid vände sig på rygg och fingrade frånvarande på knapparna i skjortan. Sedan vred hon på huvudet och såg på Veronika.

"Jag har förlorat min dotters ansikte", sa hon. "Jag skulle kunna beskriva det in i minsta utsökta detalj, men jag kan inte längre se det." Hon slöt ögonen och när hon började tala slappnade dragen av, ansiktet blev mjukt och på läpparna lekte antydan till ett leende.

"Hon hade mjukt, kopparrött hår med solstänk i – det lyste som min mors. Hennes ögon var stora och svarta, men jag tror att de skulle ha blivit gröna, precis som min mors. De var så oerhört klara och blicken mötte min med total tillit. Jag brukade dra fingret över hennes panna och jag hade aldrig känt någonting så mjukt som hennes hud. När jag bytte på henne lade jag handflatan mot hennes bröst och mage och hennes blick mötte min. Jag bar henne intill min kropp och hennes händer vilade mot mitt bröst, hennes hud mot min hud som om hon fortfarande var en del av mig. Hennes fötter sparkade mot min mage och det kändes likadant som när jag bar henne inom mig." Astrid gjorde ett uppehåll. "Det har inte gått en dag sedan hon föddes utan att jag har tänkt på henne. Men jag kan inte se henne."

Veronika låg också på rygg med händerna på magen.

"Berätta", sa hon. "Låt mig se din dotter."

20

Högt med dig jag talade
vad ingen i världen vet.
På ändlösa vägar
var du min ensamhet.

ASTRID

Jag döpte henne till Sara. Min mors namn. Hon föddes här, i det här rummet. Det var i februari, och under natten drog en snöstorm fram. Drivorna växte höga mot huset, vägarna täpptes igen. Jag låg vaken och lyssnade på stormens tjut och snön som piskade mot rutorna och jag visste att mitt barn var på väg. När morgonen grydde slutade det blåsa och solen bröt fram. Jag stod vid fönstret och tittade ut, och det kändes som om världen just blivit född. Som om vinden och snön hade skapat en ny värld åt mitt barn.

Till slut lyckades den gamla barnmorskan ta sig hit upp genom de djupa drivorna, och när barnet kom var hon här och hjälpte mig. Hon placerade det lilla byltet i min famn och sa med ett leende att det var en flicka. Jag virade upp lindan och lät handen glida över min dotters lena hud. Jag höll fram fingret och hon grep tag om det. Naglarna var små och skimrande som fiskfjäll. Hon kramade mitt finger hårt och jag såg in i hennes mörka ögon. Och jag fylldes av en sådan glädje att jag kände att ingen kunde rå på oss, min dotter och mig. Min dotter Sara.

Jag höll näsan intill hennes hals och insöp hennes doft. Jag rörde vid hennes hår, smekte hennes kind, lät mina läppar snudda vid hennes panna.

Inte förrän jag lyfte blicken blev jag medveten om att min man hade kommit in i rummet. Han stod vid fotändan med händerna i kors över bröstet. Den gamla barnmorskan sa till honom att han hade fått en fin liten dotter. Han bara teg. Käkarna rörde sig, men inte ett ljud kom över hans läppar. Blicken var fäst på barnet.

"Rödhårig", sa han till slut. "Hon är rödhårig." Utan att säga ett ord till gick han sin väg.

Jag bar med mig mitt barn överallt. Jag visste att jag kunde känna minsta önskan hon hade, varje behov, och hon grät aldrig. När det blev varmare bar jag henne till min plats i skogen. På vägen dit berättade jag allting för henne. Och jag gjorde allting vackert för henne. Jag berättade för henne om det vackra, för jag ville att hennes värld skulle vara god. Jag ville ge henne en god värld. Jag ville att hon skulle få kärlek och jag ville att hon skulle få älska. Vi satt i solen på den undangömda platsen, och än en gång var den förtrollad. Än en gång stod granarna vakt kring någon som jag älskade. Och en tid var världen verkligen god.

Det året regnade det hela maj, eller så kändes det i alla fall. Men regn kan vara lika trösterikt som solsken.

Morgnarna var dämpade; vårregnet trummade lätt. Nej, inte trummade. Det var så lätt att det inte hördes. Det fyllde luften och närde ljudlöst den spirande växtligheten. Jag promenerade med mitt barn innanför regnkappan. Min man hade affärer i Stockholm och var bortrest under större delen av våren, men när allting stängdes inför semestern kom han hem.

Varför kan jag se allt detta när jag inte kan se mitt barns ansikte?

Jag gick uppför trappan och visste att han var där. Dörren var inte stängd – jag behövde bara ge den en lätt knuff så svängde den ljudlöst upp. Han stod böjd över hennes säng. Jag ser det lika tydligt än i dag. Solen lyste stark genom de tunna gardinerna, och det var som om den brutit genom molnen för att tvinga mig att se alla detaljer.

Jag gick fram till sängen och tog upp henne. Jag tryckte henne mot mitt bröst, gick nedför trappan och ut genom dörren.

Jag satte mig med henne bakom huset vid smultronlandet. Det var tidigt på kvällen, men solen stod fortfarande högt på himlen. Ovanför oss dök svalor efter insekter som kommit med värmen.

Jag satt i gräset och höll henne mot mitt bröst med läpparna mot hennes hjässa. Jag berättade för henne om smultronen. Jag lovade att trä upp dem på timotejstrån åt henne. Jag berättade hur söta de var. Hur jag skulle plocka ett strå åt henne varje dag hela sommaren. Men när jag såg på smultronlandet där blommorna ännu bara var små vita knoppar visste jag. Jag visste att det inte skulle bli tid.

21

I natt är du bjuden av dimman till dans ...

Det hade blivit mörkare i rummet. Solen hade försvunnit och vindbyar fick fönsterrutorna att skallra – ett förebud om regn.

Veronika vred på huvudet och såg på Astrid. Försiktigt lade hon handen mot den gamla kvinnans huvud och strök de grå slingorna bakom örat. Hon lät handen ligga kvar på den gamla kvinnans axel och de låg där stilla medan vinden fick rullgardinen att fladdra.

"Det är midsommarafton, men jag tror att det blir regn", sa Veronika till slut. "Jag tänkte att vi kanske kunde gå ner till byn i eftermiddag för att se på när de reser majstången. Jag tänkte att det kunde vara trevligt. Om det slutar regna."

Astrid sa ingenting, men Veronika hörde att hon drog ett djupt andetag. Veronika satte sig upp och lät fötterna sjunka ner på golvet. Hon tittade på klockan och såg att det var mitt på dagen. Nästan tolv. Hon hörde Astrid röra sig bakom henne och ställde sig upp så att den gamla kvinnan skulle få plats att sätta sig upp. Men hon låg kvar, vänd på rygg.

"Ja", sa hon. "Jag tror att det är precis vad vi borde göra."

Hon rörde sig inte när Veronika tyst smög ut ur rummet.

När Veronika kom tillbaka på eftermiddagen fann hon Astrid sittande på verandabänken. Hon hade bytt till en vit skjorta och i hennes knä låg en marinblå ylletröja. Håret var fuktigt och bakåtkammat. Veronika såg på henne och tänkte att någonting var annorlunda hos den gamla kvinnan. Det fanns en mycket liten förändring i hakans vinkel, i hållningen. Beslutsamhet, tänkte hon. Värdighet. Och kanske lättnad.

De gick sakta nedför backen. Det regnade inte längre, men det var fuktigt och himlen var mulen. Regnet hade lockat fram dofterna hos gräset och klövern. Veronika höll fram sin krökta arm, Astrid tog den och så fortsatte de att gå arm i arm. När deras steg funnit en gemensam rytm stödde sig den gamla kvinnan lätt mot Veronika.

Gräsplanen på älvstranden bortom kyrkan var full med folk, många klädda i traktens färggranna folkdräkt. Kvinnornas röda kjolar virvlade och i luften låg en känsla av glad förväntan och feststämning, ja, till och med upphetsning, när båtarna närmade sig och musik hördes på avstånd. Nedför älven kom fyra stora båtar efter varandra med en spelman som ackompanjerade roddarna i var och en. Veronika och Astrid stod lite vid sidan av och tittade tysta på medan båtarna lade till och besättningarna förenade sig med människorna som samlats på älvstranden. Sedan gick de upp till stången som majats med löv och ängsblommor. Båtspelmännen anslöt sig till spelmanslaget som stod berett, och medan männen började resa stången stämde musikanterna upp. I Veronikas ögon liknade det en urgammal ritual – nästan hednisk. Det som spelades var folkmusik, lite melankolisk men ändå livlig och dansvänlig. Så snart stången var rest och förankrad samlades både vuxna och barn runt den. Alla tog i ring och så började dansen.

Astrid höll sin tröja med båda händerna och följde med blicken människorna som rörde sig runt majstången till de traditionella midsommarsångerna och danserna. Så vred hon på huvudet och såg på Veronika med en svag nick och ett småleende. På nytt krokade hon ihop sin arm med Veronikas. Sedan stod de så och tittade.

Efter en stund sa Veronika: "Kom, så går vi och sätter oss vid älven så att vi kan se vattnet. Vi kan höra musiken i alla fall." Hon hade känt hur den gamla kvinnans arm blivit tyngre och tyngre. När de satte sig i gräset trängde den sena eftermiddagssolen för första gången igenom molntäcket som börjat brytas upp. Astrid höll Veronikas hand medan hon satte sig, men så snart hon sträckt ut benen nedför den sluttande älvbrinken verkade hon sitta bekvämt. Veronika samlade ihop kjolen runt benen. Ett moln av mygg stod redan kring dem. I ett fåfängt försök att sjasa bort de envisa insekterna viftade hon omkring sig i luften. Astrid klappade henne på armen.

"Här, ta lite av det här", sa den gamla kvinnan och räckte fram en roll-onflaska med myggmedel. "Kring midsommar ska man aldrig gå någonstans utan att vara försedd med sådant här", sa hon med ett litet leende. Tacksamt strök Veronika myggmedel på armar, ben och hals.

"När vi går hem måste vi plocka sju blommor", sa Veronika. "Minns du vilka det är i sången?" Hon såg på Astrid som tittade tillbaka med ett roat leende.

"Åh, förgätmigej och timotej. Och blåklockor. Violer?" Astrid tystnade.

"Ja, och klöver", tillade Veronika. "Ängsull. Och en till, den som jag aldrig kan komma ihåg namnet på."

"Karibacka", sa Astrid. "För många år sedan läste jag om karibacka. Kineserna lär använda stjälkarna till att spå med. Så jag kan tänka mig att den passar i din midsommarbukett."

Veronika såg förvånat på Astrid, men den gamla kvinnan hade blicken riktad mot älven där kvällssolens strålar nu lekte och sände skarpa reflexer åt alla håll.

"Vem kommer du att drömma om, Veronika?" frågade Astrid utan att flytta blicken från vattnet. "När du har lagt blommorna under kudden. Vem?"

Veronika svarade inte. Hon satt med armarna om sina uppdragna ben och hakan stödd mot knäna.

"Jag kom hit för att slippa ifrån mina drömmar", sa hon till slut.

22

... ty dagen är du,
och ljuset är du,
solen är du,
och våren är du,
och hela det vackra, vackra,
väntande livet är du!

VERONIKA

Men jag drömmer fortfarande om havet. Min fiende.
Jag drömmer om min fiende, inte om min kärlek. Jag
drömmer om den väldiga vidden som skimrar i alla
nyanser av blått och grönt, från mörkaste marin över
gränslösa djup till lysande smaragd där bottnen kom-
mer närmare ytan.

Det bredde ut sig under mig när planet började gå
ner över Nya Zeeland och det verkade aldrig ta slut.
Om jag hade blinkat kunde jag ha missat den lilla
strimman av land som just stigit upp ur djupen. Nya
Zeeland. Aotearoa. Men jag blinkade inte. Mina ögon
var vidöppna. Jag kände mig tom, nyvaken och ren-
tvättad, som det vindpinade landet nedanför. Jag hade
klivit rakt ut över ett stup utan att veta var eller hur

jag skulle landa. Jag tryckte pannan mot fönstret när planet gick ner och marken närmade sig.

Det var tidigt på morgonen och formaliteterna på flygplatsen var snabbt avklarade. Jag gick genom tullen med min bagagevagn och lät blicken vandra över raden av ansikten hos dem som väntade utanför. Men det var han som upptäckte mig. Jag kände hans händer på mina axlar innan jag såg honom. Så vred han mig mot sig och slog armarna om mig och vi stod där som en ö i strömmen av resande som flöt förbi, ända tills en asiatisk man bakom oss diskret bad oss att gå åt sidan. Jag tittade på James, tog in hans yttre: den urblekta basebollkepsen ovanpå håret som verkade längre och lockigare än tidigare, den gamla T-tröjan, de slitna shortsen, de bruna fötterna med flipflops på. Hans ansikte där min blick sökte varenda detalj, snuddade vid huden, följde ögonbrynen och läpparnas konturer. Jämförde med bilderna jag hade lagrade i minnet. Och alltsammans kom tillbaka. Det började som en mycket svag förnimmelse någonstans djupt inom mig, en värme som spred sig ända ut i armar och ben, ut i fingertopparna och till slut läpparna. Mitt leende kändes som skratt.

Vi gick ut i det intensiva ljuset. Tunna vita moln sträckte sig över en oändlig himmel och en frisk vind sköt oss framför sig.

Vi körde mot Auckland. Jag tittade på landskapet som passerade förbi, utan att registrera några detaljer. James pratade och med vänstra handen pekade han ut genom fönstret, men mellan de snabba rörelserna återvände den till mitt knä. Jag betraktade hans profil, hans hand på ratten, hans bara fötter på golvet. Han verkade så hundraprocentigt hemma, ett med kläderna, bilen, landskapet. Jag insåg att han var hemma. Och plötsligt blev jag akut medveten om att jag fortfarande var skrudad i den gamla världen. Avvikande med min vinterbleka hud och mina tjocka mörka kläder. Till och med min doft var fel. Gammal och trött och fel i denna nyskapade värld med det intensiva ljuset där en frisk vind blåste och luften saknade lukter.

Vi åkte raka vägen hem till hans mamma i St. Mary's Bay. Jag tittade på huset som vi stannat framför. En vit trävilla, en av många i samma stil vid den lugna gatan. Den såg pittoresk ut, som hämtad ur en sagobok, men större än jag hade föreställt mig. "Mamma bor i en liten stuga mitt i Auckland", hade han sagt. Jag tyckte inte att det här såg ut som en liten stuga. På vardera sidan om ytterdörren fanns ett stort burspråksfönster; en stor veranda gick längs hela framsidan och fortsatte runt hörnet till höger. Vita rosor vällde över spjälstaketet och där fanns ett stort träd med klasar av lysande röda runda blommor som dansade glatt och lekfullt som tofsar i vinden.

Medan vi lastade ur mitt bagage kom hans mamma ut genom dörren. Hon stannade på översta trappsteget med händerna knäppta framför sig. Hon var småväxt och slank, ledigt men elegant klädd i vita linnebyxor och beige topp. Barfota. Det ljusa håret var samlat med ett band i nacken. Medan jag gick uppför trappan letade jag i hennes ansikte efter likheter med hennes son. Hon hade stora grå ögon, ingen makeup, gaska lång näsa och stor mun med fylliga läppar. Jag kunde inte se någon likhet. Hon tittade tillbaka, lika forskande, men där fanns en antydan till ett leende, möjligen till och med skratt, i mungiporna.

"Veronika", sa hon som om hon eftertänksamt formade stavelserna. "Ve-ro-ni-ka. Välkommen till Nya Zeeland. Jag heter Erica." Hon omfamnade mig, hastigt och lätt som en vindpust. Hon lät handen ligga kvar mot min rygg, men den lätta knuff som förde mig in genom dörren var snarare någonting jag föreställde mig än en faktisk fysisk beröring.

Vi gick genom huset och ut på verandan på baksidan. Rummen liknade kvinnan som bodde i dem – ljusa, luftiga och tilldragande. Behagliga men också reserverade. Inte särskilt inbjudande.

James hade ett eget rum i ett litet hus i trädgården. Han gick före mig genom gräset med mina båda resväskor. Jag tittade på hans rygg, lät blicken glida utmed hans ben, armar, händer. Han såg annorlunda ut. Eller kanske bara mer hemma – mer sig själv. Det verkade som om hans fötter för varje steg han tog landade på ett ställe som passade dem perfekt. Jag följde efter, okänsligt trampande på gräset med mina läderstövlar. När vi kommit in satte jag mig på dubbelsängen. Plötsligt kände jag mig trött, till och med lite sorgsen. Han släppte resväskorna, placerade händerna på höfterna och tittade på mig.

"Trött?"

Jag nickade.

"Klarar du att duscha själv, eller vill du att jag ska hjälpa dig?" frågade han leende. "Hm, jag känner att här krävs assistans", fortsatte han när jag inte svarade.

Så slängde han sig ner bredvid mig på sängen och började knäppa upp min blus.

Vi stannade hos Erica i nästan en månad. James hade fått ett tillfälligt jobb över sommaren på stadens undervattensakvarium, och det fanns utsikter att han skulle få stanna längre. Även om det inte direkt var något drömjobb och inte vad han hoppats på, så kunde han försörja sig på det. Jag började fundera på min bok, skrev små spridda stycken medan den ursprungliga idéns enda cell sakta började dela sig och ta form och gestalt.

Erica var ofta borta flera dagar i sträck. Hon gjorde utflykter och besökte vänner på deras sommarställen, och då hade vi hela huset för oss själva. Jag tillbringade loja timmar i skuggan på verandan mot trädgården tillsammans med Ericas gula katt, och sent på eftermiddagen brukade jag promenera till affären för att handla mat. Ibland åt vi ute, vanligtvis på något av kaféerna på Ponsonby Road. Jag hade anpassat mig till bekvämligheten och utrymmet, den stressfria, generösa atmosfären och de glest trafikerade gatorna. Jag blev fortfarande förbryllad när jag hörde folk beklaga sig över trafikstockningar. Jag tyckte att det liknade ett embryo till en stad, en möjlighet snarare än en verklighet. Jag tittade på staden nedanför där Sky Tower stod som en flaggstång och markerade platsen för ett framtida stadscentrum.

Efter middagen brukade vi gå hem till det tysta huset och sitta i rottingstolarna och se på trädgården medan kvällssolen målade staden nedanför i fantastiska färger: rosa, guld, orange och sedan lila och malva tills den intensivt mörkblå natten tog över. Vi brukade älska i den gamla sängen i James rum med vikdörrarna öppna mot trädgården. Och det var precis som förut.

"Jag föddes in i havet. Det har funnits runt mig i hela mitt liv", sa James. Han låg naken på sängen och cikadorna spelade i trädgården. "För mig är det som själva livet. Färgerna, dofterna. Jag behöver det." Han reste sig på armbågarna. "Föreställ dig en hög våg, en ljust smaragdgrön våg där ett stim kahawai jagar småfisk. Den vackraste bild som finns." Han sträckte ut handen och drog mig ner ovanpå sig. Så höll han händerna om mitt ansikte och såg mig i ögonen. "Jag vill att ni ska lära känna varandra. Lära er att älska varandra."

Dagen därpå tog han mig med till Piha för att se på när han surfade. Det finns bilder av stränderna längs västra Nya Zeeland. De förekommer i böcker och filmer. Man kan läsa om riskerna, de oförutsägbara strömmarna, de livsfarliga tidvattensvågorna under en bedrägligt lugn yta. Bränningens kraft. Men ingenting hade gjort mig riktigt förberedd.

Vi gick från bilen med våra strandmadrasser, picknickkorgen och James surfingbräda. Vidsträckheten var bedövande. Där fanns inga gränser, inga slut. Stranden sträckte sig mot ett oändligt fjärran. Några få människor syntes som flugprickar här och där. Måsar svävade i luften men kom aldrig nära. Det brännande ljuset lyste upp allting som en strålkastare. Havet fanns överallt. Jag gick ut till knäna i vattnet, kände det hugga i mina vrister och upplevde dess skrämmande kraft när det ansatte mig med knuffar, stötar, sug. Klor som klöste. James skrattade och jag såg hans läppar röra sig, men vågornas ständigt närvarande, aldrig upphörande dån dränkte hans röst. Han drog mig i armarna, stänkte vatten på mig, skrattade och plaskade medan jag stod som lamslagen och kände hur sanden försvann under mina fötter.

Efteråt satt jag på min madrass med en bok i knäet, men jag tittade på James. Till och med när jag flyttade blicken från den bländande vita bränningen till boksidan såg jag bilden av honom. Han var där ute, en liten svart gestalt på en vit bräda och bilden satt fastsvedd på insidan av mina ögonlock. Dök ner mellan vågorna, försvann under minuter som kändes som små evigheter. Klungorna av badande höll sig mellan flaggorna, men surfarna drev åt höger. När han äntligen kom tillbaka drypande våt och skrattande, kände jag hur mina stela och ömma händer äntligen släppte sitt krampaktiga tag om boken.

Januari var varm och solig, och vi tillbringade de flesta veckosluten på stranden. Men det kändes alltid lika svårt. Havet blev min fiende. Vi konkurrerade om samma man.

I februari flyttade vi in i ett hus som vi hyrt några gator från Ericas hus. Hon ifrågasatte aldrig vårt beslut och visade aldrig på något sätt om hon var besviken eller glad. Ändå fick jag skuldkänslor när jag upptäckte vilken lättnad det var att ha ett eget hem. Det var en typisk gammal Ponsonbystuga: ett vardagsrum, ett sovrum och ett arbetsrum. På baksidan en liten vanskött trädgård med ett citronträd. Från verandan kunde vi se en skymt av havet om vi stod upp och sträckte på halsen.

Första kvällen i huset satt vi på verandagolvet och rökte och drack öl. Vi hade arbetat hårt hela dagen, och det hade varit varmt. Jag kände mig trött på ett härligt sätt – fysiskt utmattad men psykiskt alert. Och så oerhört lycklig.

"Vi skulle kunna bo här i hela vårt liv", sa James. "Med våra ungar och katter och hundar."

"Ungar?" sa jag och blev förvånad över att tanken på barn kändes så fullkomligt rätt. Våra barn.

"Våra barn", sa han och böjde sig fram för att kyssa mig på magen innan han tryckte örat mot huden. "Här – det är här vi ska plantera dem", sa han. "Våra barn."

Jag blundade och lutade huvudet mot väggen medan jag drog fingrarna genom hans hår.

"Jag vill att allting alltid ska vara precis så här", sa han och flyttade sina händer till mina ben, lät dem glida längs låren, smalbenen. "Jag älskar dig", sa han, och min kropp lyssnade med varenda cell.

När solen sjönk bortom kullen bakom oss förlorade staden sina färger till natten som föll. Ljuden från oräkneliga osynliga cikador närmade sig; stråk av doft från lika osynliga blommor kom svävande; vi blev ett med varandra och natten runt omkring oss. När vi låg där på golvet efteråt blickade mina ögon ut i det mjuka himmelsmörkret där stjärnor som jag inte kände igen blinkade. Så vilade jag huvudet mot hans axel med näsan instoppad alldeles nedanför hans öra. Jag andades in hans doft och lät handen glida över min mage. Och tänkte på de barn som jag visste att vi skulle få.

23

... men allt i mitt liv, som likt solar blänkt,
och allt som i mörker och kval blev sänkt,
det darrar i natt i en flod av glitter.

Det hade klarnat upp helt, och gräsplanen där midsommarfesten nu nått sin höjdpunkt badade i kvällssolens bronsfärgade ljus. Moln av mygg förföljde dem som dansade kring majstången och utförde en egen komplicerad luftburen dans ovanför människornas huvuden. Fiolernas och dragspelens musik blandades med osynliga gräshoppors gnissel och ett och annat barnskrik. Från utkanten av den öppna platsen, i skuggan intill det mörka skogsbrynet där klungor av ungdomar samlats, steg skratt mot himlen.

"Ska vi gå hem?" frågade Veronika. Astrid nickade och tog båda Veronikas händer till hjälp för att resa sig. En stund gick de arm i arm längs älven, sedan lämnade de brinken och tog av på grusvägen mot kyrkan. En och annan bil och moped körde förbi.

"Jag har lite sill och gravlax", sa Astrid. "Vill du äta en bit med mig när vi kommer hem?" Veronika kramade lite hårdare om Astrids arm när hon svarade.

"Tack, det vill jag gärna."

De fortsatte, ett ensamt par som gick mot strömmen, bort från festen. Potatisåkrarna låg frodiga och gröna på båda sidor om vägen. Jorden var uppkupad runt plantorna och den vita blommen på väg att slå ut. När de närmade sig kyrkan saktade Astrid in på stegen. "Jag har en sak jag måste göra här", sa hon och pekade mot kyrkan. De gick uppför grusgången och Astrid tog av längs kyrkans vägg mot begravningsplatsen på baksidan. Där gick hon fram till den största stenen. Den vilade i halvmörker nu när den lågt stående solen skymdes av kyrkobyggnaden.

Den höga mörka stenen stod mitt på en gräsbevuxen fyrkant, inhägnad av en tung järnkätting fäst vid stolpar i de fyra hörnen. En dvärgpil med mörklila blad lutade sig mot stenen på ena sidan. Där fanns inga blommor. Stenen var av polerad svart granit och enligt inskriptionen var detta familjen Mattsons familjegrav.

"Karl och Britta var mina farföräldrar", sa Astrid med blicken på namnen överst på stenen. "Som du ser dog de med mindre än ett års mellanrum. Farfar köpte gravplatsen för evärdlig besittning – precis som hans avsikt var när han byggde huset. Ett hem för livet, ett för döden. Bådadera de mest storslagna i byn. Min far, Karl-Johan, är den ende förutom dem som är begravd här." Astrid ändrade ställning och stödde sig lite tyngre på Veronikas arm.

"Min mor begravdes i Stockholm. Jag har aldrig sett hennes grav." Hon tystnade och de avlägsna ljuden från midsommarfirandet fördes närmare med vinden.

"Nu ska jag låta begrava den siste som någonsin kommer att läggas i den här graven. Min man. Och sedan kommer den att förseglas för alltid."

Astrid vände sig om och drog Veronika med sig. Med långsamma steg gick de till den andra sidan av kyrkogården, invid stenmuren. Där fanns inga stående stenar, bara små plattor inbäddade i gräset. Astrid stannade och knäböjde mödosamt medan hon höll fast Veronikas hand. Så borstade hon av plattan framför sig med handflatan.

"Det är här min dotter Sara är begravd", sa hon. "Och det är här jag ska ligga." Hon pekade på den tomma platsen till vänster. "Det här är vårt hem."

De båda kvinnorna satt tysta. Veronika viftade bort en och annan mygga från ansiktet. Till slut gjorde Astrid en ansats att resa sig. "Jag tyckte att du skulle veta det", sa hon. "Jag ville att du skulle se var min dotter ligger." Hon tog åter Veronikas arm. "Och jag ville att du skulle veta var jag kommer att ligga."

De gick tillbaka ut på vägen. Ljuset var varmt, liksom luften. De hörde fortfarande musiken på avstånd. "Blommorna. Du måste plocka dina midsommarblommor", sa Astrid när de svängde in på vägen som gick uppför höjden. "Få se om vi kan hitta allihop."

De gjorde sig ingen brådska, lämnade vägen och gick i det knähöga gräset som började bli vått av dagg. De hittade blåklockor, violer, klöver, timotej, liljekonvalj och mandelblomma.

"Jag har sex – bara en till", sa Veronika. "Och jag borde faktiskt ha en karibacka." Hon böjde sig ner över ett stånd av de anspråkslösa vita blommorna med den lätta medicindoften och plockade en. "Så där. Nu har jag sju", sa hon. När de på nytt klev ut på grusvägen lade Veronika sin hand på den gamla kvinnans arm. "Jag går hem och hämtar en flaska vin", sa hon. "Och lägger de här under kudden. Så att jag inte glömmer det senare i natt." Astrid nickade och öppnade grinden.

När Veronika kom tillbaka en stund senare hade hon en vinflaska under ena armen och en i den ena handen samt en liten portabel cd-spelare i den andra. Astrid stod vid diskbänken och skrubbade färskpotatis. På bordet stod hennes lilla bukett i ett glas. "Min hör inte hemma under kudden", sa hon. "Inga fler drömmar för mig."

Veronika ställde flaskorna på bordet och satte sedan i sladden till cd-spelaren. "Jag tänkte att du kunde behålla den här", sa hon. "Jag brukar använda datorn när jag spelar musik." Astrid vände sig om och tittade på henne med en potatis i den ena handen och en liten borste i den andra. "Eftersom jag inte visste vad du tycker om för någonting så tog jag med mig lite olika saker. Det här är Brahms."

När musiken från den lilla apparaten fyllde köket lämnade Astrid diskbänken och satte sig sakta på en av köksstolarna. Hon höll fortfarande potatisen och borsten i händerna och det droppade vatten i knäet på henne. "Vad är det?" frågade hon tyst. "Musiken – vad heter den?"

Veronika tittade på den gamla kvinnan, överraskad av hennes reaktion. "Det är sonat nummer tre för violin och piano i d-moll", svarade hon. När de första tonerna i den andra satsen hördes lade Astrid ifrån sig potatisen och borsten på bordet och placerade händerna ovanpå varandra i knäet.

"Min mor spelade den så ofta att jag kunde den takt för takt. Men det var så länge sedan. En sådan lång tystnad." Hon blundade och tycktes lyssna intensivt.

När de sista tonerna i den sista satsen klingat ut tittade Astrid upp. "Och där står porslinsblomman", sa hon och såg på krukväxten i köksfönstret. De långa stjälkarna som ramade in hela ena sidan av fönstret bar klasar av rosa blommor. "De första slog ut häromdagen. Har du sett knopparna? Så hårda, blanka som pärlor. Man skulle aldrig kunna tro att de innehåller någonting så sammetsmjukt. Och denna underbara doft." Hon såg på Veronika. "Förlåt", sa hon. "Det beror på musiken. Det var mer än sjuttio år sedan jag hörde den. Ändå minns jag den nu och förstår att den hela tiden har funnits där. I mitt hjärta. I alla dessa år har jag burit den här inom mig utan att veta om det." Hon lade handflatan mot bröstet och satte en våt fläck på skjortan. "Min mor brukade spela den på sin grammofon. Och andra satsen var den som hon tyckte bäst om. Hon brukade spela den om och om igen och sa åt mig att lyssna noga eftersom musiken rymde all världens skönhet. Hon brukade lyfta upp mig i sitt knä och jag brukade luta mitt huvud mot hennes bröst och det var som om musiken kom inifrån min mors kropp." Astrid sträckte ut handen efter potatisen. "Spela den en gång till, är du snäll", sa hon när hon reste sig och gick tillbaka till diskbänken.

Och medan Brahms sonat fyllde köket tillredde de sin midsommarmåltid.

Senare satt de vid bordet med fönstret öppet mot sommarkvällen. Astrid hade tänt en myggspiral på fönsterbrädan, och en tunn rökstrimma steg mot taket. Röklukten blandades med porslinsblommans söta doft.

"Vill du vara snäll och spela den andra satsen en gång till, Veronika?" sa Astrid. "Bara en gång till." Hon sträckte ut handen och lät fingrarna snudda vid midsommarbuketten i den lilla vasen på bordet. Medan musiken steg på nytt höll hon blicken fäst på blommorna.

Veronika lutade sig mot stolens ryggstöd, blundade och snurrade sitt vinglas mellan fingrarna. Ingen av dem rörde sig när musiken tystnat. Så drog Astrid tillbaka handen från blommorna och tittade upp.

"Jag dödade musiken", sa hon. "Och jag dödade mitt barn."

24

... ty intet gör ont som du.

ASTRID

Jag dog den där sommarkvällen.

Jag satt i gräset bakom huset med mitt barn i mina armar. Från vitklövern kom honungsdoft. Det var den tiden på eftermiddagen då det är lätt att slumra till och glida bort i sommardrömmar. Jag ammade mitt barn tills hon somnade vid bröstet. Hennes läppar släppte bröstvårtan och huvudet föll lite bakåt på min arm. Läpparna var lätt särade och en rännil av mjölk letade sig ut ur mungipan. Jag torkade bort den med fingret. Sedan lät jag fingret glida längs det mjuka tandköttet och kände de två mjölktändernas yttersta spets, som två små risgryn. Hon blundade och ögonlocken var som den skiraste hinna över de svarta ögonen. Då och då fladdrade de till och hemliga småleenden flög över läpparna.

När jag hörde hans steg på verandan reste jag mig och gick nedför ängen. Jag höll henne i min famn och pratade med henne. Pekade ut blommorna och bina, svalorna högt i skyn. Jag höll henne tätt intill mitt bröst och kände hennes läppar mot min hud.

Jag gick mot älven men ändrade mig och vände tillbaka uppför backen. Det höga gräset frasade mot mina ben. Jag viskade till henne att ängsklockorna just hade börjat slå ut. Jag gick med henne i min famn över ängarna och in i skogen. Ljuset var milt och luften stilla nedanför grenverket, och det doftade kåda. Den mjuka mossan dämpade ljudet av mina steg. Vi passerade det stora granitblocket, men jag stannade inte. Den här gången hade jag ingenting att be om. När jag kom fram till gläntan satte jag mig i det silkeslena gräset där skogssmultronens vita blommor just hade slagit ut. Sakta vyssade jag henne medan jag sjöng alla vaggvisor jag kunde. Jag gjorde det bekvämt för henne i mitt knä med hennes huvud på mina lår och hennes fötter mot min mage. Händerna höll mina fingrar i ett hårt grepp och jag såg in i hennes svarta ögon. Jag böjde mig fram, tryckte läpparna mot hennes panna och blåste lätt, sedan lät jag dem snudda vid hennes hjässa, rörde vid hennes hjärtslag genom den fjuniga hinnan.

När solen sjönk bakom väggen av träd lade vi oss ner i gräset. Luften började svalna och jag hörde den annalkande nattens ljud. Det dämpade prasslet av löv när osynliga djur började röra sig. Mitt barn sov i mina armar med andetag så lätta att jag var tvungen att hålla örat tätt intill hennes mun för att känna dem.

Så lade jag handen över hennes ansikte och den vita natten uppslukade oss.

Efteråt satt jag med hennes kropp i famnen och vaggade fram och tillbaka. Och jag skrek ut i natten tills jag inte hade någon röst kvar. Sedan blev allt stilla.

När morgonsolens första strålar visade sig gick jag tillbaka hem med hennes kropp i min famn. Jag gick upp till badrummet och klädde av henne. Kroppen var så lätt på min arm och hennes hud så vit. Jag tog vatten i min kupade hand och tvättade henne. Det droppade i tvättstället, som tårar. När jag var färdig svepte jag en mjuk badhandduk om henne innan jag gick in i sovrummet och plockade fram hennes dopklänning. Jag satte den på henne och borstade hennes våta hår. Jag höll henne hårt intill mig och rörde vid håret med handen. När jag tryckte läpparna mot hennes huvud kände jag ingen annan doft än tvålens svaga parfym.

Jag lade henne i hennes säng och slätade till filten. Sedan gick jag ner i köket där min man satt vid bordet.

"Ditt barn är dött", sa jag.

Och sedan fanns bara tystnad.

25

Sorgen, dess skugga i rummet
flyttar sig inte med solen
blir ej till skymning
när skymningen faller.

Astrid var askgrå i ansiktet. Ögonen var torra men
speglade en sådan sorg att Veronika måste vända
bort blicken. Hon reste sig, gick runt bordet och drog
försiktigt upp Astrid på fötter. Så omfamnade hon
den gamla kvinnan, höll henne hårt i sina armar och
viskade lågt till henne.

"Åh, Astrid", sa hon. "Käraste, käraste Astrid." Hon
lät sin hand stryka den gamla kvinnans hår, sedan
drog hon sig ifrån henne en aning och såg henne i
ögonen. Astrid drog häftigt efter andan och vände sig
mot fönstret. Hon tryckte handen mot munnen för att
kväva det ljud som trängde över hennes läppar. Ett rop
av sådan oerhörd smärta att det verkade omöjligt att
uthärda. Outhärdligt att släppa fram, outhärdligt att
höra. Omedvetet slog Veronika händerna för öronen,
innan de flyttade sig till munnen för att tysta hennes
egen gråt. Sedan flyttade hon sig sakta närmare Ast-

rid tills hon stod strax intill den gamla kvinnan och höll om henne bakifrån. Tätt tillsammans stod de vid fönstret medan solen gick upp och kastade sina första strålar över bordet och midsommarblommorna i den lilla vasen.

Astrids våldsamma snyftningar övergick så småningom i ett stilla, gemensamt vaggande. Till slut sträckte Astrid ut ena handen och trevade efter stolens ryggstöd. Veronika släppte taget om hennes axlar och de satte sig ner båda två.

"Sedan den natten har jag inte en enda gång tillåtit mig att gråta över min dotter", viskade Astrid. "Inte när hon begravdes. Inte den dag hon skulle ha fyllt ett år. Aldrig." Hon slog händerna för munnen som för att hejda strömmen av ord. När hon lät händerna sjunka tillbaka ner på bordet öppnade hon åter munnen. "Och aldrig har jag gråtit över mig själv heller. Över den lilla flickan som var jag. Eller över den unga kvinna jag blev." Hon tystnade men sa sedan: "Om ingen tröst finns att få tjänar det inget till att gråta."

Hon reste sig och gick bort till spisen där hon tog kökshandduken och torkade ögonen. Sedan blev hon stående och vred handduken mellan händerna medan hon tittade ut genom fönstret.

"Jag har aldrig tidigare tillåtit mig att över huvud taget snudda vid det här. Jag begravde alla tankar tillsammans med min dotter. De gör så ont ..." Hon pressade handduken mot munnen. "Du förstår, det handlade om mig. Det handlade hela tiden om mig. Min kärlek var inte tillräckligt stark." Hon gick tvärs över golvet och satte sig igen. "Jag kunde inte vara säker. Jag kunde inte vara säker på att jag skulle kunna vara stark nog. Och om jag inte kunde vara säker kunde alltsammans upprepas. Jag tror att det var så. Men kanske är det inte sant. Kanske berodde det inte på att min kärlek inte var stark nog. Kanske berodde det på att mitt hat var så starkt."

Hon stirrade rakt framför sig och profilen avtecknade sig i silhuett mot ljuset utanför fönstret. "Och den tanken är outhärdlig", sa hon tyst. Hon vände sig mot Veronika. "Jag är ledsen att du skulle behöva se det här. Höra det."

Veronika sträckte ut handen och rörde vid den gamla kvinnans kind. "Låt mig hjälpa dig i säng", sa hon.

Sakta gick de uppför trappan, Astrid stödd på Veronikas arm med den ena handen och den andra på ledstången. Astrid lade sig fullt påklädd och Veronika bredde en filt över henne. Sedan strök hon än en gång över den gamla kvinnans kind innan hon gick bort till fönstret och drog ner rullgardinen. När hon vände sig om låg Astrid med slutna ögon. Ansiktet var mycket blekt. Veronika satte sig i stolen vid fönstret. Rummet vilade i gryningsljus, och det enda ljud som hördes var enstaka, kvävda snyftningar som när ett barn har gråtit sig till sömns.

Men Astrid sov inte. Hon hade vänt sig på sidan och låg med händerna instoppade under kudden och blicken på Veronika.

"Jag har aldrig pratat med någon människa om den natten. Aldrig någonsin", sa hon. "Och nu när jag lyssnar på mina egna ord inser jag att de berättar en annan historia än den som jag har burit inom mig i alla dessa år." Den gamla kvinnan blundade. "Jag tror att om vi kan hitta orden och om vi kan hitta någon människa att berätta dem för, då kan vi kanske se saker och ting på ett annorlunda sätt. Men jag hade inga ord och jag hade ingen människa."

"Ja", sa Veronika, "kanske borde jag försöka hitta orden, jag också. Jag är författare, ändå har jag aldrig haft lätt för att hitta ord. Det har alltid skett med stor möda. Och bara när jag skriver. Jag kom hit med en oskriven bok. Nu tror jag att det kanske blir en bok, men inte den som jag hade föreställt mig." Hon såg på Astrid, men kunde inte avgöra om den gamla kvinnan var vaken. Det vita ansiktet uttryckte inga känslor och ögonen var åter slutna. Ändå fortsatte Veronika att tala.

"Du förstår, jag reste till Nya Zeeland i tron att jag i stort sett skulle kunna fortsätta där min förra bok slutade. I tron att jag skulle skriva en bok om en plats, om hemma. Om kärlek och hur kärleken kan skänka en känsla av tillhörighet. Men så blev det inte. Först var jag tvungen att ge mig – oss – tid att komma till ro. Jag var tvungen att utveckla ett eget sätt att se på hans tillvaro. Och jag trodde att jag hade all tid i världen på mig."

Hon tystnade och stirrade in i tomrummet mellan henne själv och den gamla kvinnan.

När Astrid slog upp ögonen och såg rakt på henne fortsatte hon.

"Låt mig berätta om dagen när min tid tog slut."

26

I whisper 'Yes' and 'Always', as I lie
Waiting for thunder from a stony sky.

Jag viskar "ja" och "alltid" när jag ligger
Och väntar åskan från en blygrå sky.

VERONIKA

Det var första veckoslutet i november och sommaren som aldrig hade tagit slut riktigt var åter inne. Dagarna var varma, men nätterna var fortfarande kyliga. Det var tidig morgon och det var lördag.

Medan jag låg tyst och väntade på att James skulle vakna pressade jag mitt ben mot hans och absorberade hans värme genom huden. Han låg på magen med armarna utsträckta, den ena över kanten på sängen, den andra över mitt bröst. Han andades lätt, nästan ljudlöst. Jag hörde morgontidningen stoppas in i vår brevlåda alldeles utanför fönstret som stod öppet några centimeter. Jag såg att det var ljust, men jag hade ännu inte lärt mig att tolka dagsljusets nyanser. Novemberljus på södra halvklotet. Senvår eller för-sommar, så olik alla novembermånader jag dittills upplevt. Här var det som om sommaren och vintern flätades in i varandra: det var sommar mitt i vintern, vinter mitt i sommaren. Och höst fanns det ingen, ingen vår, ingen tid för längtan, ingen tid för minnen. Bara nuet. Eller kanske var det bara så att jag inte hade hunnit utveckla de sinnen som krävdes för att urskilja de praktiskt taget omärkliga årstidsväxlingarna. Jag hade ännu tre outforskade månader kvar innan mitt första år i Nya Zeeland skulle vara fullbordat.

En obetydlig förändring hade inträtt i rytmen hos James andning och jag visste att han var vaken. Hans hand flyttade sig och kupades om mitt bröst. När han slog upp ögonen vände jag mig mot honom.

Han älskade alltid med öppna ögon, såg mig rakt i ögonen. Precis som ett litet barns blick uttryckte de varje känsloskiftning: lidelse, njutning, upphetsning, ömhet. Och glädje, alltid glädje.

Vi stannade i sängen tills hungern drev oss upp. I köket öppnade vi dörrarna till verandan och tog med oss kaffe och rostat bröd ut. Himlen var klar sånär som på några enstaka lätta moln, som löstes upp i den hårda vinden. Det kändes att dagen skulle bli varm fast det fortfarande var kyligt.

"Åh, vilken dag. Vi åker till stranden", sa James. Han stod på trappan som ledde ner till trädgården med blicken mot skyn.

Sedan föll ordet som skulle förändra allt. Mitt ord. "Okej."

Bara det. Det finns så många andra som jag kunde ha valt. Jag kunde ha sagt: Nej, vi tar färjan till Waiheke och cyklar. Eller: Vi kan väl ta en promenad ner till Cox's Bay? Eller: Vi kan väl gå in till stan, gå på konstgalleriet, äta lunch. Eller bara: Nej, jag har inte lust att åka till stranden. Jag kunde ha sagt: Jag tror att jag är med barn.

I stället sa jag bara: "Okej."

Medan jag duschade började James packa matsäck. Bröd, ägg, oliver, tomater. Musslor, ost. Öl och vatten. Jag stod i den öppna dörren och såg honom plocka ihop alltsammans. Såg på hans händer och fick en plötslig lust att gripa tag om dem, lägga dem mot min kropp. Han log brett och stoppade en oliv i munnen.

På vägen stannade vi vid en bensinmack för att tanka och skaffa is till kylboxen. Trafiken var gles när vi körde västerut. Vi hade bestämt oss för Karekare, och när vi svängde av från huvudleden in på den slingrande, branta vägen till stranden fick utsikten mig åter att hisna. Frodig, grön buskvegetation som påminde om tropisk regnskog, men ändå så annorlunda. Den såg ung ut. Nygjord, skapad för inte länge sedan men på samma gång förhistorisk och orörd av människohand. Det kändes som om jag fortfarande kunde se strukturen, hela den ursprungliga formen, innan landet var bebott.

Vid backens slut låg små hus med blomsterrabatter där trotsiga petunior och pelargonior försökte hävda sig. Det tycktes inte finnas något samband mellan dessa vardagliga bostäder och det dramatiska landskapet. Till och med en sådan glad och ljus försommardag som denna var Karekare både lätt skrämmande och respektingivande. I mina ögon var de små husen malplacerade, som om de skapats med tanke på en helt annan, vanlig, trygg omgivning. Det här verkade snarare vara en plats att beundra än att älska, tänkte jag. Den framkallade en andlig reaktion, en stark medvetenhet om människans obetydlighet.

Vi parkerade och tog våra saker ur bilen. Med famnen full vadade vi över bäcken ut på den svarta sanden som redan kändes varm under fötterna. Stranden var nästan tom. Några livvakter stod kring en fyrhjulsdriven motorcykel och en uppblåsbar räddningsbåt. Flaggorna var utplacerade.

Havet vräkte sig mot sanden och ett fint dis av skum fördunklade utsikten mot den vidsträckta, skimrande havsytan. Vi rullade ut våra strandmadrasser. James fällde upp parasollen och tryckte ner den stadigt i sanden. Sedan satt vi en stund och tittade ut över havet. Måsar skriade högt ovanför. Och detta var nästa tillfälle då mina ord hade kunnat förändra allting.

"Lust att bada?" frågade han.

Jag kunde ha sagt: Okej, för en gångs skull tror jag att jag har det. Eller: Ja, men jag går inte längre ut än till knäna. Eller jag kunde ha sagt: James, jag tror att jag är med barn. I stället sa jag: "Du vet ju att jag inte tycker om att bada här. Gå du. Jag stannar här och läser."

Han drog på sig sin våtdräkt och satt sedan en stund till bredvid mig. Jag låg på magen med min bok uppslagen framför mig. Just då läste jag om *Varulven* av Aksel Sandemose. Det hade föresvävat mig att jag skulle försöka väva ihop berättelsen med handlingen i min egen bok, och därför läste jag sakta med en blyertspenna i handen, koncentrerade mig på strukturen.

"Det är perfekt", sa James och kisade ut över havet. Jag vände mig halvt mot honom och reste mig på armbågen för att följa hans blick, men sedan lade jag mig ner igen. "Vi äter när jag kommer tillbaka", sa han och så kände jag hur han böjde sig ner och tryckte läpparna mot min nacke. Jag log för mig själv, men vände inte på mig. Jag såg honom inte ta surfingbrädan och gå över sanden ner till vattnet. Jag såg honom inte vada ut i havet, driva utåt, fånga den första vågen.

Du sa, Astrid, att det är omöjligt att säga vad det är som gör att man *vet* att sommaren vänder. Att en dag när solen står lika högt på himlen som dagen före, vattnet är lika varmt och gräset lika grönt så *vet* man bara.

Jag låg på min madrass och läste, sedan lutade jag huvudet mot armarna och slumrade till. Men lika häftigt som om jag fått en hink kallt vatten över mig vaknade jag. Jag *visste*. Det berodde inte på den tidsrymd som hade förflutit. Inte heller fanns det några larmsignaler eller rop. Himlen var fortfarande blå, måsarna cirklade högt där uppe. En kvinna lekte med en hund på den plana spegeln av våt sand utmed vattenbrynet. Men jag *visste*.

Jag ställde mig upp och skuggade ögonen med händerna. Spanade ut över havet. En liten klunga badare uppehöll sig tryggt innanför flaggorna, och några befann sig lite längre bort. Ett par unga pojkar jagade en frisbee. Men inga surfare syntes till.

Tyst började mina ben röra sig. Fötterna ökade farten i den svarta sanden, rusade i riktning mot livräddarna. Jag sprang så fort jag kunde, men runt mig gick allting i ultrarapid och hindrade mig. Den förste livräddaren vände sig om mot mig, ropade till de andra. Med snabba rörelser satte de sin båt i sjön och hoppade ombord. Jag registrerade alltsammans som om det hände under total tystnad och outhärdligt långsamt.

Jag sprang ner till vattnet med blicken på den orange båten som sicksackande tog sig fram genom bränningarna. Folk samlades runt mig men de befann sig i en annan värld, på andra sidan en enorm avgrund som svalde alla ljud. Vatten skvätte kring mina fötter när jag sprang längs stranden i samma riktning som båten tagit. En flicka i gul livräddartröja sprang bredvid mig. Hon sträckte ut handen för att försöka få tag i mig. Båten var nu längre ut och försvann utom synhåll i vågdalarna. Jag kände hur jag började hacka tänder när jag stannade och blev stående till fotknölarna i vattnet. Flickan i den gula tröjan lade armen om mina axlar och sedan stod vi tysta och stirrade på det dånande havet där båten nu var bara en orange prick.

Det kändes som om allting stod stilla, som om min egen andning hade upphört. Då såg jag båten komma tillbaka, fortfarande skymd i vågdalarna, men lite närmare för varje vågkam. Och plötsligt insåg jag att de inte hade bråttom. Det var inte längre någon räddningsinsats.

De bar upp honom till den provisoriska livräddningsstationen och lade honom på en filt. Det gjordes inga återupplivningsförsök, ingen mun mot mun-metod togs till. Livräddarna drog sig åt sidan; jag föll ner på knä och sträckte ut händerna mot honom. Jag slickade bort saltvattnet från hans ögonlock, jag pressade örat mot hans bröst. Jag viskade hela vårt liv till honom. Jag höll örat nära hans mun och lyssnade efter ett svar. Ovanför oss den obarmhärtiga solen medan världen virvlade ofattbar kring stillheten som var vi två. Sedan det segerrusiga havets mäktiga dån.

Ovanför hans vänstra ögonbryn fanns ett litet sår och en djup reva löpte längs hans vänstra arm. Det var allt. Hans huvud hade fallit åt sidan, mot mig. Jag lade händerna mot hans kinder, böjde mig ner och tryckte mina kinder mot hans. Jag lade mig ner och smekte honom över håret.

Så småningom var det någon som försiktigt drog mig bort från honom; flickan i den gula tröjan svepte en filt om mina axlar. Människor hade samlats runt mig; ansikten som bleka månar. Några grät. De lyfte upp honom på en bår och bar honom till livräddarnas stuga. Jag gick med långsamma steg och till min överraskning såg jag att andra sprang. Man pratade högljutt, ropade. Med likgiltig förvåning noterade jag uppståndelsen.

Jag satt på en stol i livräddarnas kala stuga med en kopp skållhett te framför mig. Runt mig fanns en värld där jag inte längre hörde hemma. Det var som om en tung dörr hade stängts med en suck och jag blivit ensam kvar utanför. Jag mindes morgonen, att vi hade älskat, packat, kört till stranden – men det var som en annan tid. När jag fortfarande levde.

27

Men sedan vill jag bli ensam,
vaggad av ljusets flod
fram till alltings vila,
där ingen är ond eller god.

Astrid låg stilla. Tårar rann ner i kudden. Hon gjorde
inget försök att torka bort dem. Händerna var fort-
farande instoppade under kudden. Veronika reste sig
och drog upp rullgardinen. Utanför började solen för-
siktigt väcka vinden. Ljuset föll över hennes ansikte
och hon blundade.

"Årets kortaste natt. Midsommarnatten", sa hon.
"Och nu kommer den nya dagen."

Hon vände sig om och gick fram till sängen, böjde
sig ner och tryckte en hastig kyss på Astrids panna.
Den gamla kvinnan drog fram ena handen och strök
Veronika över kinden men sa ingenting. Veronika gick
tvärs igenom rummet, och samtidigt som hon öpp-
nade dörren kastade hon en kort blick över axeln, men
Astrid hade dragit upp filten och vänt sig mot väggen.
Försiktigt stängde Veronika dörren bakom sig.

På måndagen efter midsommarhelgen körde Veronika Astrid till vårdhemmet där de skulle träffa begravningsentreprenören. Från början hade han föreslagit att mötet skulle äga rum på hans kontor i staden, gott och väl en timmes körning därifrån. Han hade också erbjudit sig att komma hem till Astrid. Men hon hade insisterat på att det som skulle göras skulle göras på vårdhemmet. Kanske ville hon att det skulle ske på neutral mark.

När Veronika körde fram till Astrids grind väntade den gamla kvinnan på verandan. Hon såg ut som vanligt när hon kom nedför trädgårdsgången klädd i byxor och en stor skjorta. Ändå hade det kommit någonting rofyllt över henne. Håret var bakåtstruket och ögonen var skarpa och mycket blå när hon fäste blicken på Veronikas ansikte. "Tack", sa hon innan hon satte sig på passagerarplatsen.

De hade gott om tid och Veronika tog inte stora vägen. Hon hade valt den något längre sträckan, den gamla vägen som slingrade genom alla småbyarna. Dikesrenarna blommade och björkdungarna vajade sina friska gröna kronor i vinden. Mitt i varje liten by stod en majstång.

När de svängde in framför vårdhemmet hade de tio minuter till godo, men begravningsentreprenören väntade redan på trappan. Han var medelålders och alldeles skallig, men detta kompenserades av buskiga ögonbryn och skägg. Han bar en kortärmad vit skjorta som var öppen i halsen och lätta sommarbyxor – en informell men på något sätt lämplig klädsel. Hans handslag var fast och yrkesmässigt.

De satte sig i väntrummet. Sköterskan frågade om de ville ha kaffe, men alla tackade nej. Så snart Astrid bekräftat att hon ville ha en kyrklig ceremoni bestämdes datumet till den kommande fredagen. När begravningsentreprenören började förhöra sig om närmare önskemål höll Astrid upp handen. "Det andra överlåter jag åt er", sa hon. "Jag har inget som helst intresse av ceremonin. Bara den äger rum i byns kyrka. Ingen kremering. Jordbegravning. I den mattsonska familjegraven." Begravningsentreprenören antecknade utan kommentarer. Det var klart på en kvart.

Just när de skulle gå kom sköterskan med en plastkasse i handen. "Herr Mattsons tillhörigheter", sa hon och sträckte fram kassen. Astrid tog ett litet steg tillbaka med händerna mot bröstet och skakade på huvudet. "Gör vad ni vill med dem", sa hon. "Jag vill inte ha dem." Sköterskan stelnade märkbart men sa ingenting. Hon nickade, pressade fram ett litet leende och tog sin tillflykt bakom receptionsdisken. Veronika tittade på den lilla kassen som kvinnan hade släppt på golvet bredvid sin stol. Den såg platt ut. Uppenbarligen innehöll den inte mycket.

De körde sakta hemåt, stora vägen den här gången, med rutorna nedvevade. Det var mitt på dagen och solen stod högt på himlen. Vägen låg tom framför dem; luften dallrade av värme ovanför asfalten.

"Jag tycker vi ska åka och bada i sjön när vi kommer hem", sa Veronika med en hastig blick på Astrid. Den gamla kvinnan tittade tillbaka med häpet höjda ögonbryn.

"Bada?" Hon vände bort huvudet och tittade ut

mot det förbiglidande landskapet. Håret fladdrade runt hennes huvud och armen vilade mot kanten av fönsteröppningen.

"Ja", sa hon efter en stund men utan att vrida på huvudet. "Det gör vi. Vi åker till sjön."

De stannade till hemma för att hämta handdukar, och Veronika bredde ett par smörgåsar medan Astrid fyllde sin blå termos med kaffe.

Det fanns inga andra bilar där den lilla smala vägen slutade vid sjön, bara två cyklar, den ena ett barns. När de steg ut på sandrevet verkade platsen fullständigt öde, men så upptäckte de en kvinna och en liten pojke i vattenbrynet långt borta. De bredde ut sin filt och satte sig utom synhåll för de båda andra badarna. Inga ytterligare tecken på mänskligt liv syntes till, och det fanns inga hus inom synhåll längs stranden. Sjön låg blank och den mörka skogen på andra sidan speglade sig i dess yta. Vattnet kluckade stilla mot den röda sanden. Veronika tog av sig shortsen och T-tröjan. Under dem hade hon en grön baddräkt. Astrid satt fullt påklädd i byxor och vit skjorta, men barfota, med benen utsträckta framför sig. Ur sin väska plockade hon upp en urblekt solhatt av bomullstyg som hon drog ner över håret. När det var gjort satt hon med händerna i knäet och stirrade ut över det stilla vattnet.

"Ska du med i?" frågade Veronika när hon reste sig. Astrid skakade bara på huvudet med blicken fäst på en punkt långt borta på andra sidan sjön. Veronika vadade ut i vattnet. Hon klev försiktigt över en remsa täckt med småsten innan hon nådde den mjuka sanden längre ut. När hon stod till knäna i vattnet vände hon sig om och vinkade till Astrid som inte vinkade tillbaka. Det varma vattnet var gyllenbrunt, färgat av den mineralrika jorden. Veronika såg sina fötter på bottnen, förvrängda och gulaktiga. Hon fortsatte längre ut i den långgrunda sjön. När vattnet nådde henne till midjan började hon simma. Sedan vände hon sig på rygg och flöt, buren av vattnet som kändes silkeslent mot huden. Ovanför henne välvde sig himlen, oändlig och intensivt blå. Så vände hon sig igen och dök. När hon kom upp hade hon vattnets metallsmak på läpparna.

Astrid satt orörlig på filten när Veronika badat färdigt. Hon skakade vattnet ur håret och droppar stänkte på den gamla kvinnan. "Du borde gå i – det är härligt!"

Astrid teg fortfarande och tittade ut över vattnet. Men när Veronika satte sig såg den gamla kvinnan på henne med en antydan till ett leende i ögonen. "Jag har ingen baddräkt", sa hon. "Och jag kan inte simma."

Veronika lade sig på filten och blundade mot solen. "Jag fyller år nästa vecka. Kanske vi skulle ta en tur till stan och handla lite. Vi skulle kunna köpa en baddräkt åt dig. Och på hemvägen kan vi äta lunch på ett litet ställe som jag har hört talas om. Fira lite." Hon reste sig på armbågarna. "Skulle du vilja följa med och hjälpa mig att fira min födelsedag?"

Astrid började hälla upp kaffe i två plastmuggar. Hon sa ingenting. Inte förrän hon hade skruvat igen termosen och räckt Veronika en mugg tittade hon upp.

"Det skulle jag väldigt gärna vilja. Efter begravningen", sa hon. "Vi åker efter begravningen. Och då ska jag köpa en baddräkt." Hon lyfte muggen, stoppade en sockerbit i munnen och log med hårt hopknipna läppar. "Och så ska vi fira."

"Begravningen", sa Veronika sakta. Hon satte sig upp och tittade på Astrid. "Är du rädd?" frågade hon. Den gamla kvinnan satt som förut med benen utsträckta framför sig och blicken någonstans långt borta på sjöns yta. Hon skakade långsamt på huvudet.

"Nej", svarade hon. "Jag är inte rädd. Och jag är inte ledsen heller. Inte nu längre. Nu är det över. Begravningen blir bara en sista gest. Ett avslut." Astrid hade ställt sin mugg i sanden. "Nu vet jag att det var mig själv jag var rädd för att möta. När jag stod vid min mans dödsbädd och såg honom dra sin sista suck var det inte svårare än att blåsa ut ett ljus." Hon hejdade sig med blicken mot sjön. "Det fanns inget mer att vara rädd för." Så vände hon sig om och såg på Veronika. "För det handlade aldrig om honom. Det handlade om mig."

Veronika låg med slutna ögon och grävde med fingrarna i sanden.

"Någon sa till mig att en begravning skänker tröst", sa hon. "Att ritualen ger de sörjande en möjlighet att acceptera förlusten. Men så var det inte för mig." Veronika satte sig upp och sträckte ut benen bredvid den gamla kvinnans. Ögonen var oseende men fästa på samma blå åsar bortom sjön.

"För mig fanns ingen tröst att få."

28

Me aha iho ka mauru ai,
Whiuwhiu kei te muri, kei te tonga?

Åh, hur ska jag kunna stilla mitt hjärta,
Som kastas från norr till söder?

VERONIKA

Hon gick sakta, som en som går på spänd lina över en bottenlös avgrund. Jag reste mig när hon närmade sig genom den långa sjukhuskorridoren, och linoleummattan var sval och slät mot mina fotsulor. Jag var fortfarande barfota, klädd i baddräkt, men hade en filt över axlarna. Mina ben var täckta med ett tunt lager intorkat salt. Jag frös – jag frös så att jag trodde att jag aldrig mer skulle bli varm. När hon kom närmare gick det upp för mig att hon inte såg mig. Hennes ansikte var blekt och blicken tom. Bakom henne gick en kvinna som jag vagt kände igen. Hon rörde inte vid Erica men höll sig tätt intill henne. En sköterska kom ut och tog emot dem, och då mötte Ericas blick min ett kort ögonblick, men där fanns ingenting som tydde på att hon kände igen mig och hon sa ingenting.

Jag gjorde en ansats att lyfta händerna, men lät dem sjunka när hon vände sig till sköterskan som tog hennes armbåge och ledde henne in i rummet. Jag satte mig på bänken igen.

På eftermiddagen när jag kom hem tog jag på mig hans röda badrock, lade mig på sängen och begravde ansiktet i kudden som fortfarande doftade som han.

Han begravdes på onsdagen. Ericas väninna kom hem till mig på måndagen. Jag hörde när det knackade på dörren, men det dröjde flera minuter innan jag förstod vad det innebar. Ljudet föreföll lika meningslöst som allt annat som pågick i världen bortom den skymning där jag befann mig. Det var betydelselöst och påkallade inget gensvar. Till slut öppnade hon med den nyckel som Erica hade givit henne. Hon hette Carolyn. Carolyn kokade te och satte sig på sängen och pratade med mig. Hon berättade hur Erica ordnat med saker och ting och frågade om jag hade några invändningar. Jag tittade på hennes vänliga ansikte, men det hon sa trängde inte in till mitt medvetande. Det enda jag gjorde var att dra badkappan ännu tätare omkring mig; jag frös fortfarande.

När jag tänker på det nu önskar jag att det inte hade behövt gå så fort. Jag tror att sorgeprocessen kräver en viss tid och att den inte kan komprimeras utan att det får konsekvenser. Om den får lov att ta den tid den behöver blir kanske läkningen mer fullständig. Som det nu var hann skymningen aldrig skingras. I mitt hus hade tiden en annan dimension och där rådde varken dag eller natt, bara en obruten skymning.

På begravningsdagen gick jag kyrkgången fram

bakom Erica och James far som hade flugit dit från London, men jag befann mig någon annanstans dit ljuset inte nådde. De höll varandra i handen, ett par förenat i sorgen. Jag såg dem, registrerade allting. Men ingenting verkade ha med mig att göra.

Där var skolkamrater, studiekamrater från universitetet, arbetskamrater. Där var släktingar. Alla verkade höra hemma, alla verkade ha en plats i den väv som varit James liv. Jag gick utmed kyrkbänkarna som var fyllda med människor som nästan alla var obekanta för mig. En man i ungefär James ålder vred på huvudet när jag gick förbi. Han grät och torkade tårarna med handens avigsida. Jag hade aldrig sett honom tidigare och hade ingen aning om i vilken relation han stått till James. Och han skulle aldrig känna den James som hade varit min. Ändå sörjde vi båda förlusten av samme man. Jag kände mina steg bli lättare och lättare, som om jag inte längre snuddade vid golvet. Och jag frös fortfarande så förfärligt.

Jag hade sagt nej när de frågade om jag ville läsa någonting, men inuti mitt huvud upprepades hela tiden orden i den dikt jag annars skulle ha valt:

Allt, allt jag ägde
var ditt mer än mitt.
Allt jag vackrast ville
var ditt, ditt, ditt.

Jag hade försökt översätta Karin Boyes dikt, men medan jag arbetade med orden hade jag plötsligt insett att de tillhörde James och mig och att en översättning var överflödig. De hade ingenting med den här begravningen eller de här människorna att göra. Jag kunde läsa dem tyst för honom och språket spelade ingen roll.

Efteråt samlades begravningsgästerna hemma hos Erica. Jag gick rakt genom huset där rummen var fulla med människor som jag aldrig hade träffat tidigare och satte mig på verandatrappan mot trädgården. Den gamla gula katten låg på sin vanliga plats. Då hörde jag steg bakom mig, och när jag tittade upp såg jag James far närma sig. Han slog sig ner bredvid mig. Vi hade blivit presenterade utanför kyrkan, men jag hade inte fått något intryck av honom. Nu såg jag honom i ansiktet och upptäckte en svag likhet. Jag undrade om det var så James skulle ha kommit att se ut. Han lade sin hand över min och betraktade mig forskande.

"Det är sorgligt att vi inte får lära känna varandra", suckade han och lät sin hand ligga kvar ett ögonblick. Jag kunde inte komma på någonting att säga. Till slut reste han sig mödosamt, och då insåg jag att han var äldre än han verkade. En stilig, välvårdad man, avsevärt äldre än Erica. Jag mindes att James hade berättat att hans mor hade blivit med barn medan hon vistats i London på ett stipendium till Royal Ballet. Att hans far hade varit gift och att det aldrig hade varit tal om att han skulle lämna sin familj. Nu betraktade jag den gamle mannen och undrade om det inte snarare var så att han sörjde över att han aldrig skulle få lära känna sin son, inte mig.

Tidigt på kvällen promenerade jag hem till vårt hus. Det var fortfarande ljust och varmt. Jag passerade tennisbanor och hörde folk spela, bollar som studsade mot racketar, spelare som ropade, skratt. Längs Ponsonby Road stod restaurangernas dörrar öppna mot kvällen som nalkades; människor satt vid borden på trottoaren och drack vin. Vart jag än tittade såg jag liv. Men i mitt hus härskade den trösterika skymningen och det var en lättnad att åter få stiga in i den.

Jag visste det innan jag vaknade. Jag tror att jag i sömnen måste ha registrerat den första obetydliga sammandragningen av den allra minsta muskeln, långt innan det som pågick tilltog i styrka och förvandlades till verkliga kramper. Den varma, klibbiga fukten mellan mina ben var bara en bekräftelse på ett redan accepterat faktum. Mina lår var blodiga liksom lakanet och badrocken. Jag låg stilla och uppmanade smärtan att komma. Varje kraftig sammandragning pressade fram mer tjockt blod. Jag tänkte att om jag gav den fritt spelrum, inte bjöd något motstånd, skulle den kanske inte upphöra utan vi skulle dö tillsammans.

Men på morgonen var det över. Jag stod i duschen med skallrande tänder och såg det röda vattnet virvla ner i avloppet. Jag lutade huvudet bakåt och mina tårar blandades med vattnet.

Två veckor senare lämnade jag Nya Zeeland. Erica körde mig till flygplatsen. Hon hade inte frågat någonting när jag gjorde entré i hennes liv, och hon frågade ingenting nu heller. Jag hade sagt till henne att jag skulle bo hos min far i Tokyo en tid. Hennes slanka händer vilade på ratten och hon höll blicken på vägen.

Jag såg på hennes profil och undrade om hon kände sig lättad över att jag åkte. Jag undrade om hon förknippade mig med sin sorg.

Hon väntade medan jag checkade in, sedan gick vi upp på andra våningen och drack en kopp kaffe. "Jag hoppas att du kommer tillbaka", sa hon. "Du är alltid välkommen." Hon fäste blicken på mitt ansikte och rynkade ögonbrynen. Jag försökte tolka hennes uttryck, och det slog mig att hon försökte memorera mitt ansikte. Eller kanske hon bara såg ordentligt på mig för första gången. Kanske hon aldrig hade tagit sig tid att titta ordentligt på mitt ansikte tidigare. Kanske hon, som jag, hade trott att det var så gott om tid.

När vi sa adjö och omfamnade varandra märkte jag hur vassa hennes skulderblad var. Hon kändes lätt som luft. Vi släppte varandra och drog oss tillbaka lite. Efter ett ögonblick tog hon upp ett kuvert ur handväskan. "Jag vill att du ska ha det här", sa hon och sträckte fram det mot mig. "Öppna det sedan." Hon rätade på sig och betraktade mig forskande en sista gång innan hon vände sig bort och gick. En smal rygg som försvann i trängseln.

Jag tittade ut genom fönstret när planet steg, men låga moln skymde sikten. Min hjärna var tom och jag stirrade ut i det kompakta vita.

Senare öppnade jag kuvertet. Inuti det låg ett fotografi och en liten handskriven lapp:

Det här är min älsklingsbild av James. Han var åtta år och hade precis fått ett sår i läppen sytt. Men som du kan se var han mycket lycklig. Hans rugbylag hade just vunnit sin första match. Jag tittar ofta på det

*och säger till mig själv att vi fick så mycket lycka. Så
mycket skratt. Och att det är vad jag måste minnas.
Jag hoppas att också du kan göra det, Veronika.*

29

*... ett ljus som varken är hopp eller tro
men kärlek – ett segertecken.*

Himlen var vit och det var alldeles vindstilla. Luften var tung och varm. Lämpligt begravningsväder, tänkte Veronika. Hon hade vaknat tidigt, våt av svett, och efter en hastig dusch hade hon tagit kaffet med sig och slagit sig ner på yttertrappan. Hennes mobiltelefon låg bredvid henne på trappstenen. Hon hade inte ringt till någon sedan hon kom till byn. Fyra månader. Men hon hade sett till att den var laddad, och då och då hade hon raderat de meddelanden som samlats i inkorgen. Nu tog hon den i handen och bläddrade till de sparade meddelandena. Det var bara tre stycken, det sista daterat den första november föregående år. Det första var från den 6 juli. Hennes födelsedag. Hon tittade på datumet och vägde telefonen i handen men lyssnade inte på det inspelade meddelandet. I stället stängde hon av telefonen och stoppade den i fickan på sin morgonrock innan hon gick in för att göra sig i ordning.

Astrid satt på bänken på sin veranda när Veronika

kom gående mot huset. Hon var klädd i en vit skjorta och marinblå byxor och i knäet hade hon en plastkasse. De hade bestämt att de skulle promenera till kyrkan om det inte regnade. Astrid reste sig när Veronika närmade sig, och arm i arm gick de sakta nedför backen. Himlen hängde tung ovanför dem och svalorna flög lågt. De passerade affären som var öppen men tom på folk. Kartonger med jordgubbar till extrapris stod på ett bord utanför och den söta doften lockade till sig insekter. På bron över älven stannade de ett ögonblick. Astrid tittade ner i vattnet. Ytan var matt och slät, som en oljehinna över den mörka, trögt flytande massan. "Det är nästan över", sa hon och tittade bort mot kyrkan.

Begravningsentreprenören tog emot dem på kyrktrappan tillsammans med en kortväxt blond kvinna. Han var klädd i mörk kostym, vit skjorta och diskret grå slips; hans kollega bar en mörk dräkt. Han presenterade kvinnan och vände sig sedan mot den öppna kyrkdörren. "Kom med in i sakristian", sa han och bjöd Astrid armen. Veronika och den blonda kvinnan följde efter. Det var svalt där inne, men luften var instängd, som om rummet hade varit igenbommat en längre tid. Prästen var ung, inte mycket äldre än hon själv, tänkte Veronika. Han höll hela tiden händerna knäppta som till bön, men det verkade snarare vara ett tecken på nervositet än fromhet. Helt kort lirkade han loss den ena handen för att hälsa på Astrid. Han undvek att möta Veronikas blick.

När de gick in i kyrkan lade Veronika märke till tre äldre kvinnor på en av de bakre bänkarna, annars var kyrkan tom. De gick altargången fram, prästen i täten, efter honom Astrid stödd på Veronikas arm och sedan begravningsentreprenören och hans kollega. Kistan var en enkel träkista, och den enda dekorationen var en liten krans av silvergran. På vardera sidan stod en ljusstake av smidesjärn med ett tänt ljus.

Astrid satte sig på den främsta bänken med Veronika bredvid sig, och begravningsentreprenörerna tog plats bakom dem. Prästen läste de obligatoriska texterna men försökte sig inte på något personligt tal. Veronika tyckte att orden upplöstes så snart de kommit över hans läppar. Stavelserna föll isär och innebörden försvann i det stora rummets mörka skrymslen. När han tystnade började orgeln spela, men Astrid satt kvar. Hennes blick var fäst på kistan och läpparna rörde sig ljudlöst. Sedan lade hon handen på Veronikas arm för att hon skulle resa sig och låta henne komma förbi. Ensam gick Astrid fram till kistan och ställde sig vid dess fotända med ryggen mot bänkarna. Hon såg liten och bräcklig ut, men i hennes hållning fanns ingen tvekan. Ryggen var rak liksom axlarna. Huvudet var inte böjt i bön utan lätt bakåtlutat. Läpparna rörde sig, men Veronika kunde inte höra några ljud. Astrid förblev orörlig bortsett från att läpparna oavbrutet formade ord. Sedan trevade hon i ena byxfickan och verkade plocka upp någonting. Veronika såg den slutna handen och följde den med blicken medan den gamla kvinnan sträckte ut armen och placerade ett föremål på kistlocket. Hon höll handflatan mot det ett ögonblick innan hon vände sig om och gick tillbaka till bänken där Veronika stod och väntade. Sedan gick de nedför mittgången. När de passerade de tre kvinnorna kände Veronika deras blickar i ryggen.

På kyrktrappan anslöt sig prästen och de båda begravningsentreprenörerna till dem. Astrid drog sig lite åt sidan, och det verkade som om hon fyllde lungorna i djupa drag med den fuktiga luften. När hon fick frågan om hon ville närvara vid gravsättningen skakade hon på huvudet. Begravningsentreprenörens blick vilade en kort stund på den gamla kvinnans ansikte. Han lade huvudet en aning på sned men sa ingenting. I stället sträckte han fram handen och tog farväl. Han och hans kollega återvände in i kyrkan tillsammans med prästen medan Astrid och Veronika gick nedför kyrktrappan. De hade stigit ner på grusgången och var på väg mot grinden när Astrid lade handen på Veronikas arm.

"Vänta lite", sa hon. Så vände hon sig om och gick längs kyrkväggen mot gravarna på baksidan. Veronika följde efter med blicken riktad mot den gamla kvinnans rygg, osäker på om hon borde göra det eller inte. Hon såg Astrid komma fram till platsen längst bort invid stenmuren. Där ställde hon sig mödosamt på knä, öppnade plastkassen och tog upp en liten bukett ängsblommor. Hon lade den på plattan framför sig. Sedan böjde hon sig ner och strök över den släta ytan innan hon blev sittande orörlig med händerna på låren. Veronika gick sakta närmare och sträckte ut handen. Astrid tittade upp, nickade och tog emot hjälpen. Hon reste sig, borstade av byxorna och vred plastkassen mellan händerna.

"Jag gav honom ringen tillbaka", sa hon. "Jag skulle

aldrig ha tagit emot den. Och jag skulle inte ha väntat en hel livstid med att säga orden. Men nu är det äntligen över."

30

... gåtfullt djupa är de stunder
då vi helt får glädje vara.

Trettioett. Jag är trettioett år, tänkte Veronika. Hon låg i sängen; det var lördag. Det var hennes födelsedag, den 6 juli. Hon såg på ljuset som flödade över taket. Klockan var ännu inte mycket, men brisen som fläktade genom fönstrets myggnät hade redan samma temperatur som huden på hennes bara arm. Hon sparkade av sig lakanet och vände sig på sidan med händerna instoppade mellan benen. Hon var naken. Medan hon låg så försökte hon minnas denna morgon för ett år sedan. I en annan värld, ett annat liv. "Grattis på födelsedagen, Veronika." Hon kände hans läppar mot sina lår under filten. Då drog hon upp den över huvudet och sträckte händerna mot hans ansikte. Han kysste henne på munnen, sedan pressade han henne försiktigt mot kudden och lät läpparna vandra över hennes bröst och mage. När hon lyfte sig mot honom för att ta emot honom fylldes hon av en glädje så intensiv att den splittrades i mångfärgade fragment som fyllde hela världen.

Efteråt, när hon låg med sitt huvud på hans bröst och sitt fuktiga hår klistrat mot hans hud, sa hon: "Det är min födelsedag. Min första födelsedag. Det är här mitt liv börjar." Så blundade hon och kände doften av hans hud. Och hon förstod att det var så här förlossningar var – varma, fulla av lukter, farliga, ja, till och med livsfarliga. Jublande.

De ägnade dagen åt allt sådant som hon hade kommit att älska. Timmar på konstgalleriet, sedan en rundvandring till de små affärerna på High Street med ett stopp i hennes favoritbokhandel, därefter kaffe, två cappuccino med mjölkskum som – det fick James servitrisen att lova – skulle formas till ett hjärta. Hon skrattade också, servitrisen. Han kunde få vem som helst att skratta. Det var som om till och med vädret ansträngde sig för att göra hennes dag fulländad. Himlen var intensivt blå, luften frisk; när de slog sig ner för att äta lunch valde de ett bord på trottoarserveringen. Det var varmt i solen, och James tog av sig jackan. Sedan tog han av sig solglasögonen och betraktade henne med intensiv blick.

"Så här ska det alltid vara. Vad som än händer, vart vi än far, ska vi se till att det fortsätter att vara så här. Till den dag vi dör." Så tog han upp en liten grön sammetspåse ur fickan. "Grattis på födelsedagen, Veronika", sa han och sköt den över bordet.

Hon lät den ligga och smekte bara det mjuka tyget med fingrarna. "Kommer du ihåg när du gav mig mobilen?" frågade hon. "Och jag inte hade någonting åt dig."

Han log och skakade på huvudet. "Egennytta", sa

han. "Ren och skär egoism. Jag var bara tvungen att veta att jag skulle kunna nå dig."

"Men jag har inte givit dig någonting." Hon såg honom i ögonen och fortsatte att smeka sammetspåsen. "Så jag ger dig min nästa bok. Den blir helt och hållet tillägnad dig. Till James med all min kärlek. Och det kommer att bli en bok om kärlek. Den kommer att innehålla allt det här." Hon gjorde en gest som inbegrep dem båda, kaféet, gatan där bortom, himlen. "Och jag ska göra den så vacker." Hon tog påsen och öppnade den. Inuti låg en mycket mörk, nästan svart jadesten. En rektangulär bit stor som en tändsticksask, men så tunn på mitten att den nästan var genomskinlig. James sträckte ut handen för att hon skulle lägga den på hans handflata. Han höll upp den mot solen.

"Här", sa han. "Titta här. Om du tittar med rätt sinnelag kan du se landet. Du kan se havet. Bergen, himlen. Människorna." Han öppnade låset och böjde sig fram för att lägga den tunna remmen om hennes hals. "Det är ditt", sa han. "Ditt helt och hållet. Alltsammans."

För ett år sedan. På andra sidan jordklotet. I ett annat liv.

Hon slog upp ögonen och tittade på rullgardinen som fladdrade lätt i morgonbrisen. Det var tidigt, men hon satte sig upp och drog ut lådan i sängbordet. Hon plockade fram den lilla sammetspåsen och öppnade den. Jadesmycket gled ut och landade i hennes knä. Hon höll upp det i det milda ljuset innan hon fäste det runt sin hals. Med ena handen om den släta stenen tog hon fram mobiltelefonen, slog på den och lade den på bordet. Sedan gick hon bort till fönstret och drog upp rullgardinen. Fortfarande med handen om jadesmycket ställde hon sig och tittade ut. Det var högsommar, överdådig, yppig. Bland det höga gräset växte ängsklockor och prästkragar. Björklövens färg hade djupnat och mättats. Hon hörde svalorna som byggt bo alldeles under takfoten. Ungarna skulle vara flygfärdiga vilken dag som helst.

De hade kommit överens om att utnyttja morgon-svalkan och åka innan det blivit för varmt, men hon behövde inte börja göra sig i ordning riktigt än. Hon satte på sig sin röda morgonrock och gick ner för att koka kaffe. Med muggen i handen öppnade hon ytter-dörren. På trappan stod en vit assiett och på den låg ett timotejstrå fullt med lysande röda smultron. Veronika satte sig och tog strået i handen. Leende höll hon upp det i luften, förde det intill näsan och luktade på det innan hon sakta drog av ett smultron och stoppade det i munnen. Med fötterna utsträckta i det daggvåta gräset åt hon upp allesammans, ett i taget, och lät sötman dröja kvar på tungan. En avlägsen trumvirvel från en hackspett skar genom den nyvaknade morgo-nen, annars var allt stilla. Hon hade kommit att sätta stort värde på sina morgnar där på trappan. Varje morgon innebar en chans att börja om, en möjlighet till ett nytt liv. För var dag som gick närmade hon sig ytan allt mer, för var dag ljusnade det allt mer.

När hon var klädd och redo att åka hejdade hon sig plötsligt och gick upp på övervåningen. Hon kom tillbaka med mobilen som hon stoppade ner i ytterfickan på sin lilla ryggsäck.

För första gången sedan de träffades var Astrid klädd i kjol. Det tunna, mörkröda ylletyget nådde henne till fotlederna när hon reste sig från bänken och gick mot grinden. Hon hade en kortärmad vit blus och på fötterna lågklackade svarta skor. Veronika lade märke till att hon bar örhängen, små vita pärlor. I handen hade hon en gammaldags spånkorg, en sådan som man plockar bär eller svamp i.

Veronika hade beställt bord till lunchen på ett litet pensionat i en grannby, där hon hört att maten var mycket god. De skulle köra genom byn på väg till staden men inte stanna och äta förrän på tillbakavägen.

"Jag tycker om att köra bil", sa Veronika. "Det har jag egentligen aldrig varit medveten om förrän alldeles nyligen. Det här är första gången i mitt liv som jag har en egen bil. Fast den är ju förstås inte min, det är en hyrbil. Men jag tänker på den som min. Och betraktar den närmast som ett husdjur. När jag kör någonstans med den är det som att ta ut hunden på en promenad." Hon log och klappade ratten.

Vägen var torr och tom; radion spelade skvalmusik. De åkte sakta och blev omkörda några gånger. Astrid plockade upp en karamellpåse ur sin korg och bjöd Veronika.

"På ett ställe där jag bodde med pappa hade han en chaufför som hette Muhammad", sa Veronika. "Han var analfabet, men det upptäckte inte pappa förrän han ville avskeda honom. De andra anställda bönade för Muhammad när de fick veta det. Muhammad hade fyra adoptivbarn, och ett av dem hade ännu inte avslutat sina universitetsstudier. Muhammad, som var både gammal och analfabet, skulle aldrig få ett nytt arbete. När pappa fick höra det gav han genast efter och Muhammad fortsatte att köra åt oss tills vi flyttade."

Veronika hade blicken fäst på vägen. Hon strök bort håret ur ansiktet med handen. "Min pappa är en snäll och godhjärtad människa." Hon kastade en hastig blick på Astrid. "Jag har tillbringat mer tid tillsammans med honom än med någon annan. Men när jag ser på honom nu när jag är vuxen är jag inte så säker på att jag känner honom. Jag vet att han är snäll, att han har ett gott hjärta. Jag vet att han tycker om att läsa, vilken musik han gillar, vilka idrotter han är intresserad av. Men jag vet inte vad han tänker. Jag känner honom inte som människa. Bara som min far." Högra handens fingrar knackade på ratten, handen öppnades och slöts.

I just det ögonblicket ringde mobilen. Men ryggsäcken låg i baksätet. När Astrid gjorde en ansats att sträcka sig efter den lade Veronika handen på hennes arm och skakade på huvudet. "Låt det ringa", sa hon. "Jag kollar senare."

De åkte genom sömniga byar där de faluröda trähusen med de vita knutarna omgavs av blomsterrabatter och lysande gröna gräsmattor. De såg inte många människor; det var fortfarande tidigt. Långa sträckor gick vägen utmed älven som var bred och stilla, en fridfull, metallblank väg av vatten som speglade den blå himlen där den slingrade fram.

De var i staden strax före tio och hittade en parke-
ringsplats utanför den kupolförsedda gallerian. Det
skulle dröja ännu en stund innan affärerna öppnade,
så de bestämde sig för att ta en promenad i parken
på andra sidan gatan medan de väntade. När de såg
dörrarna öppnas vände de tillbaka och gick in. De var
till synes ensamma om att vara ute så tidigt och stro-
sade sakta förbi skyltfönstren där föremålen verkade
lika sömniga som själva staden. Sommarkläderna
och semesterartiklarna verkade lite bleknade, liksom
dammiga, där de resignerat väntade på att bli bort-
plockade och ersatta med nästa säsongs skyltning.

I en affär stod en flicka med blekt, rakt hår innanför
disken. I handen hade hon en liten spegel och höll just
på att lägga på läppglans med fingret. Hon gjorde inte
en min av att ha sett de båda kvinnorna. Astrid gick
fram till ställningen där ett antal baddräkter hängde
slokande. Som väntat var sortimentet begränsat. Det
fanns tre stycken i rätt modell och storlek: en svart, en
vit med strass och en med ett färgglatt blommönster.
Astrid tittade på ställningen med ett ansiktsuttryck
som Veronika inte kunde tolka när flickan kom fram
till dem.

"Ska det vara en baddräkt åt mamma?" frågade hon
Veronika och ignorerade Astrid.

"Just det", svarade Veronika. Flickan höll fram den
svarta, en förnuftig sak, lågt skuren vid benen och
med breda axelband. Den dinglade på hennes finger
medan hennes blick föreföll vara fokuserad på en fläck
någonstans i andra änden av affären.

"Får jag prova den här?" frågade Astrid och tog ner

den blommiga från ställningen.

"Visst", svarade flickan, fortfarande utan att se på sin kund. "Provrummen är där borta." Hon nickade i riktning mot tre bås längs väggen och hade vänt ryggen åt dem innan hon avslutat meningen. Så intog hon på nytt platsen bakom disken och återgick till sin sminkning.

Astrid försvann in i ett av båsen. Veronika hörde hur hon klädde av sig, och förhänget rörde sig när hon stökade omkring i det lilla utrymmet. Plötsligt drogs draperiet åt sidan och Astrid steg ut i det skarpa lysrörsljuset.

"Nå, vad tycks?" sa hon och poserade med utsträckta armar och den ena foten framför den andra. Huden på hennes ben var blåvit och hängde sladdrig över låren. Den djupa ringningen visade en bit av hennes slappa vita bröst. Håret såg ut att spraka av statisk elektricitet och stod som en gloria runt hennes bleka ansikte. Det blev fullkomligt dödstyst ett ögonblick, och Veronika lyfte sakta händerna till munnen. Astrids ögon glittrade, och på samma gång började de båda kvinnorna skratta hejdlöst. Det startade som ett kvävt fniss men stegrades snabbt tills Astrid gapskrattade med tårarna strömmande nedför kinderna. Veronika måste böja sig fram för att få luft, och Astrid sjönk ner på en pall utanför provhytten.

"Underbart", sa Veronika när hon äntligen hämtat sig såpass att hon kunde tala. "Jag tycker att den är absolut perfekt."

"Jag tar den", sa Astrid och gick tillbaka in i provhytten. Veronika hörde henne skrocka innanför draperiet.

Flickan vid disken stod orörlig. Munnen gapade med blanka läppar.

Med baddräkten i en påse strövade de ut i den sommarsömniga staden. Det var för tidigt för lunch och ingen av dem behövde köpa någonting mer. De gick omkring på måfå, och vid en glasskiosk stannade de och köpte var sin strut. Sedan satte de sig på en parkbänk i halvskuggan under några träd.

"Vet du vad, jag har aldrig varit här förut", sa Astrid. "Jag är tacksam för att du har låtit mig se allt det här." Hon gjorde ett svep mot omgivningen med handen som höll glasstruten. "Jag insuper alltsammans och jag njuter av det, men nu när jag faktiskt ser det inser jag att det inte gör någonting att det dröjde hela livet." Hon satt med ansiktet vänt mot solen och slickade då och då på sin glass. "Jag är övertygad om att det finns fantastiska platser som jag aldrig kommer att få se. Men nu gör det mig inget." Hon tystnade. "Den här dagen räcker. Jag vet nu att det inte skulle ha inneburit någon skillnad. Det handlade inte om platsen."

Veronika stoppade handen innanför blusen och drog fram jadesmycket. Hon knäppte upp spännet och lyfte stenen mot solen.

"Titta här, Astrid", sa hon. Den gamla kvinnan böjde sig fram och deras huvuden snuddade lätt vid varandra när de båda betraktade stenen. "Om man har rätt sinnelag kan man se allt man älskar här. Sjöarna, skogarna, himlen. Hela universum." Hon sträckte fram smycket så att Astrid kunde röra vid det, och den gamla kvinnan lät fingrarna glida över den släta ytan. "Jag har inte burit det sedan den dagen då James dog", sa Veronika. "För mitt sinne var förmörkat. Och det fanns ingenting att se." Hon knäppte smycket runt halsen igen. "Men i morse satte jag det på mig. Och jag tror att jag kan se den. Jag tror att jag på nytt kan se skönheten."

Astrid såg på henne. "Ja", sa hon. "Ja, det finns skönhet. Man måste bara ha det rätta sinnelaget, för då kan man se den överallt."

Efter en kort promenad genom de lugna gatorna gick de tillbaka till bilen och körde därifrån.

Pensionatet var ett präktigt gammalt trähus, målat ljusgult, i en by där alla de andra byggnaderna hade den vanliga faluröda färgen. Det liknade en bidrottning där det låg i en stor, uppvuxen, högsommarprunkande trädgård mitt i en by av rödbruna arbetsbin. De parkerade utanför grinden och gick sakta uppför gången till dörren. Till höger låg en örtagård där persilja, dill, gräslök och basilika stod i rader. Längs husets framsida, på båda sidor om ingången, växte höga stockrosor. På trappan låg en stor grå katt och sov, och en sädesärla spatserade oförskräckt omkring på gräsmattan alldeles nedanför. Inga ljud hördes när de klev in genom den öppna dörren och fortsatte genom hallen, ingen människa mötte de heller. Men precis när de steg in i matsalen dök en slank kvinna upp och log välkomnande. På nära håll såg de att hon inte var ung, men det fanns någonting tilltalande och kraftfullt hos henne. Hon hade en lätt, främmande accent och tillsammans med håret som var färgat lysande rött fick detta henne att verka malplacerad i denna gammaldags, stillastående omgivning.

Hon föreslog att de skulle äta inne och sedan dricka kaffe i trädgården. Astrid och Veronika slog sig ner vid ett bord i matsalen. Astrid såg på servitrisen. "Det är Veronikas födelsedag i dag", sa hon med en liten nick.

Servitrisen slog ihop händerna och leendet var stort och äkta. "Åh, så roligt! Då ska jag be att få servera en födelsedagsdrink." Hon vände sig bort. "Huset bjuder, naturligtvis", sa hon över axeln.

Matsalen var rymlig, och den diskreta inredningen fick den att verka ännu större. Borden och stolarna var målade i den traditionella ljusgrå färgen, och det skurade trägolvet hade också en mild grå ton. Gardiner saknades, men på alla fönsterbrädor stod flera krukor med pelargonior. Det allmänna intrycket var lugnt och tidlöst, en fridfull bakgrund till människor och mat, en som kunnat se likadan ut i flera hundra år. Till att börja med var de de enda gästerna.

Veronika ställde ifrån sig sin ryggsäck på golvet och just då mindes hon telefonsamtalet som hon inte hade tagit. Hon plockade upp mobilen och ringde till meddelandeservicen. Medan hon lyssnade till inspelningen mjuknade hennes drag automatiskt och hon log. "Det var pappa", sa hon när hon hade stoppat ner telefonen i ryggsäcken. "Han gratulerade på födelsedagen."

Servitrisen kom tillbaka med två glas mousserande vin på en liten bricka. "Grattis på födelsedagen", sa hon när hon ställde ner glasen på bordet.

Astrid lyfte sitt glas. "Har den äran att gratulera, Veronika", sa hon. "Jag hoppas att du vill komma hem till mig och äta middag i kväll. Jag har ingen present med mig åt dig." Veronika log och nickade.

Det fanns ingen matsedel, och förrätten fick de servera sig själva från en buffé på ett litet runt bord i andra änden av matsalen. Där stod hembakat rågbröd, både knäckebröd och limpa, och smör. En liten skål av enträ med ljusbrunt, mjukt messmör, en karott med stekta kantareller, en sallad på bladgrönt och blomblad. Ägghalvor och en liten skål med löjrom. Två sorters inlagd sill. Små färskpotatisar med klippt dill över. De tog för sig och satte sig för att äta.

När de var färdiga med förrätten och satt och väntade på huvudrätten kom en man och en kvinna in och slog sig ner i andra änden av rummet. Veronika hörde att de pratade engelska. Hon trodde att de kanske var amerikaner.

"Pappa", sa Veronika och snurrade glaset i handen. "När jag var barn trodde jag att han kunde allting. Ta bort all smärta, göra min tillvaro trygg och begriplig. Det var hela tiden bara vi två, ensamma i hela världen. Men jag tog mig aldrig tid att se på honom. Att fundera över människan. Han har alltid bara varit min pappa. Och han lät mig förbli i tron att huvudsyftet med hans liv var att jag skulle må bra."

"En bra far", sa Astrid. "En kärleksfull far." Hon tittade upp. Vinet hade gett henne färg på kinderna, och plötsligt tyckte sig Veronika åter kunna se skönheten i det gamla ansiktet. "Föräldrar har en sådan oerhörd makt. De kan skydda en mot all smärta i världen. Eller åsamka en den svåraste smärtan av alla. Och som barn tar vi vad vi får. Kanske tror vi att vad som helst är bättre än det som vi är räddast för av allt." Hon tittade ut genom fönstret mot den stillastående, varma luften. "Ensamhet. Övergivenhet", sa hon. "Men så snart man har accepterat att man alltid har varit ensam och alltid kommer att vara det, då börjar ens perspektiv förändras. Man kan lägga märke till den lilla omtanken, de små trösterika detaljerna. Vara tacksam för dem. Och med tiden förstår man att det inte finns någonting att frukta. Men mycket att vara tacksam för." Hon lyfte glaset och drack den sista klunken. "För mig tog det ett helt liv att komma fram till den insikten. Låt det inte ta lika lång tid för dig, Veronika."

Huvudrätten serverades vid bordet: älgfärsbiffar med lingon och stuvade murklor. Det var mäktigt och de åt sakta, hejdade sig för att prata eller bara tigande ta igen sig lite i en kravlös samhörighet.

Efteråt gick de ut i trädgården bakom huset där en kaffebricka hade placerats på ett av borden. Servitrisen insisterade på att de skulle smaka chokladkakan som var en av husets specialiteter, och trots att de protesterade båda två kom hon tillbaka med en assiett på vilken det låg en enda bit mörk, mjuk kaka och två skedar. Och så snart de smakat upptäckte de att de kunde få ner resten också. Det var tidigt på eftermiddagen, dagen hade passerat sin kulmen. Ovanför dem jagade svalor insekter och luften var fylld av doften från en stor schersmin alldeles intill platsen där de satt.

"Jag vet inte hur vi ska kunna äta någonting mer i dag", sa Veronika. "Jag tror att vi blir tvungna att åka och bada före middagen. Så att du får prova din nya baddräkt." Astrid log och nickade. "Vi tar en sen supé", sa hon.

Just då ringde mobilen igen och den här gången hann Veronika få tag i den i tid. Hon kände Astrids blick när hon svarade, men så vände den gamla kvinnan ansiktet mot solen och blundade. Samtalet blev kort, men leendet dröjde kvar i Veronikas ansikte när hon lagt tillbaka telefonen i ryggsäcken.

"Pappa igen", sa hon. "Jag skulle vilja berätta om den senaste gången jag träffade honom."

31

Kaze o itami
Iwa utsu nami no
Onore nomi
Kudakete mono o
Omou koro kana.

Som en driven våg,
Kastad av våldsamma vindar mot klippan,
Sådan är jag: ensam
Och bruten på stranden,
Med minnet av det som var.

VERONIKA

Veckan efter begravningen ringde jag till pappa. Jag hade fortfarande inga ord, men han kände igen min röst. Och han ställde inga frågor. Han sa: "Jag finns här." Sedan var vi tysta.

Han mötte mig på flygplatsen. Klädd i sin oklanderliga grå kostym med vit skjorta och smakfull slips stod han och väntade. Det var tidigt på morgonen. Han måste ha kommit direkt hemifrån.

Jag fick en hastig kram och sedan tog han min

bagagevagn. Inga frågor, inga forskande blickar. Lugn effektivitet, utan jäkt. *Nu ser vi till att få det här överstökat så snabbt och smidigt som möjligt*, sa hans ansiktsuttryck och hans rörelser. Vi gick genom den egendomligt stilla ankomsthallen där människor tycktes röra sig ljudlöst utan att lämna något skräp efter sig, utan att avge några dofter. Vi fortsatte under tystnad till parkeringen, placerade mina väskor i bagageutrymmet på hans nya japanska bil och körde därifrån.

Det var mer än ett år sedan jag hade sett min far. Jag betraktade hans profil medan han manövrerade bilen genom betalstationens grindar. Han hade blivit äldre, lite kraftigare. Haklinjen var inte lika skarp, håret lite tunnare på hjässan och en aning gråare runt öronen. När vi kommit upp på motorvägen satte han igång cd-spelaren. Frank Sinatra. Jag var tvungen att le trots allt. Jag tittade ut genom rutan på det förbiglidande landskapet. I vintermorgonens ljus verkade det fridfullt. En akvarell. Slumrande fält och kala träd. Inga människor, inga rörelser. När vi närmade oss staden började betongväggar skymma utsikten, och till slut befann vi oss inne i ett komplext gatunät med intrikata system i flera plan där snabb trafik rusade fram. "Fly me to the moon" på cd-spelaren. Höghus så tätt inpå bilen att det kändes som om vi åkte i en tunnel inuti dem, folk som ägnade sig åt sitt på båda sidor.

Pappa bodde i en rymlig lägenhet på andra våningen av ett trevåningshus. Vi ställde bilen i parkeringshuset där under och tog hissen upp. I hallen kände jag igen den lilla koreanska kistan och den inramade

antika kartan över Stockholm. Jag gick in i vardags-
rummet där de två röda sofforna stod mitt emot var-
andra med schackbordet mellan sig, så som de hade
stått i så många andra vardagsrum. Jag befann mig
i en dröm där föremålen var välbekanta och främ-
mande på samma gång. Det lilla gästrummet var
iordninggjort: sängen bäddad och handdukar fram-
lagda. På skrivbordet låg en handritad karta över de
närmaste kvarteren och ovanpå den ett kuvert som
säkert innehöll pengar. Men pappa måste ge sig iväg
till arbetet.

När han hade gått satte jag mig på sängen med
händerna mellan knäna. Vad gjorde jag där? Jag gick
sakta genom den labyrintliknande hallen där väggarna
täcktes av pappas böcker och där det satt tippskydd
mellan den översta hyllan och taket, i händelse av
jordbävningar. Allting var prydligt, tyst, stilla. I köket
surrade kylskåpet, bänkskivorna var tomma och rena,
spisen och diskbänken blänkte som om de aldrig varit
använda. Jag gick fram till fönstret och tittade ut. Till
vänster på andra sidan gatan låg en liten park med
uppvuxna träd som lyfte sina nakna grenar mot den
vita himlen. Rakt fram, på andra sidan av den smala
gatan, stod en låg träbyggnad. På dess plåttak satt en
gammal kvinna på huk med en stor svart och vit katt
bredvid sig. Hon var klädd i en roströd jacka. En vit
sjalett täckte hennes hår och hon hade vita handskar
på händerna. Mellan hennes knän stod en påse. Hon
plockade persimoner från trädgrenarna som hängde
in över taket. Sakta och graciöst sträckte hon ut sin
behandskade hand, slöt fingrarna om ett lysande

orange klot, vred det lätt först åt det ena hållet, sedan åt det andra, tills det lossnade. I samma behagfulla rörelse lade hon frukten i påsen innan hon sträckte ut handen efter en ny. Under tiden satt katten där orörlig med sin deformerade svans bakom sig.

En stund stod jag där och tittade; när jag gick därifrån plockade kvinnan fortfarande och katten satt fortfarande kvar bredvid henne.

Jag gick in i det lilla gästrummet och klädde av mig. Hela ena väggen var täckt med speglar och jag ställde mig naken framför dem. När jag betraktade min bild kunde jag inte se några större förändringar. Min hud var fortfarande solbränd utom en triangel kring könshåret och brösten som lyste skarpt vita. Jag lät händerna glida över min platta mage och kände tomheten innanför den felfria huden. Så vände jag mig om och tittade över axeln i spegeln. Skinkorna var vita och en smal vit rand gick tvärs över ryggen strax nedanför skulderbladen. Håret hade växt och föll ner över axlarna. Men det syntes ingen större skillnad, det fanns inga utvändiga spår. Jag vände mig om igen och lade händerna mot brösten, sedan slog jag armarna om mina axlar och blundade. Men jag grät inte.

När jag duschat tog jag en promenad. Kartan var detaljerad med exakta anvisningar skrivna med pappas prydliga handstil i marginalerna och på baksidan. Den visade vägen till stationen, affärer och restauranger i närheten, Yoyogiparken och Meijitemplet. Där fanns en förklaring till husnumreringssystemet liksom några användbara fraser på japanska. Till slut stod där några telefonnummer. Han hade undertecknat den: "Pappa." Jag gick nedför backen utan att ha något särskilt mål i tankarna. Himlen var klar, men ljuset verkade svagt, som filtrerat genom tunt tyg. Jag passerade parken och gick in på tempelområdet. Där fanns människor, familjer och par, en del turister, men huvudsakligen var besökarna japaner som strosade omkring och stannade på grusgångarna för att bli fotograferade.

En procession bestående av unga vitklädda män med svarta huvudbonader och svarta japanska träskor på fötterna passerade över templets gård och försvann in i en av byggnaderna. Jag gick uppför trappan till huvudtemplet, där besökare bad och kastade mynt i träkistan framför sig. Jag lutade mig mot väggen i skuggan och tittade. En gammal dam stod alldeles framför mig med händerna höjda i bön och en handväska dinglande på armen. Ett ungt par hade ställt sig längre bort. Mannen hade ett litet barn i famnen. Jag gick längs diskarna där de sålde religiösa föremål till ståndet med bönetavlor av trä. Det måste ha varit hundratals tavlor som hängde i flera lager på en stor fyrsidig konstruktion. I de flesta fallen utgjordes budskapen av böner om världsfred, hälsa och lycka, bra examensresultat, barn. Men somliga var mer personliga, en del mycket rörande. En och annan var lättare, rolig eller respektlös, som till exempel: *Jag önskar att jag får se Naomi i hennes stringtrosor nästa år.* Jag log men kunde inte komma på någonting att önska.

På kvällen bjöd pappa mig på en liten restaurang i Shibuya. Vi bestämde oss för att promenera eftersom kvällen var kylig och klar. I mörkret förvandlades staden. Där jag i dagsljus hade sett otympliga moderna byggnader med härvor av kablar som hängde från betongpelare framträdde nu mystiska, svagt upplysta gränder där papperslyktor gungade lätt framför halvöppna dörrar. Luften var fylld av matos. Vi passerade unga skrattande par. Vid det stora övergångsstället i Shibuya stannade vi och lät folkmassan strömma förbi oss. Människor passerade oupphörligt, utan att någon stötte ihop med någon annan, utan att ens snudda vid oss. Så fortsatte vi, omgivna på alla sidor av ett människohav i rörelse. Ansikten, munnar som pratade, skrattade, blåste ut cigarettrök. Händer som gestikulerade, slätade till hår, kupade sig över en brinnande tändsticka, höll andra händer. Så nära att vi borde ha kunnat känna både värme och lukter från kropparna. Men vi var avskärmade. Avskärmade från individerna omkring oss, men också från varandra. Inneslutna i sammansmälta bubblor som flöt fram med strömmen men inte hörde dit. Tillsammans i en främmande värld, men isolerade.

Restaurangen var ett enkelt okonomiyakeställe. Det var varmt och det luktade. Vi fick var sin skål med grönsaker och kyckling i en smet bestående av ägg och rismjöl. Pappa visade mig hur man lagade till maten på hällen som stod mellan oss på bordet. Med skickliga rörelser tömde han innehållet i våra skålar på den oljade plattan och tryckte ut högarna med en stekspade till två perfekta rundlar. Jag tittade på och läppjade på mitt kalla öl. Han arbetade med stor koncentration, vände pannkakorna med en lätt knyck på stekspaden och strödde flingor av fisk och tång över dem. Plötsligt mindes jag när han lärde mig att fiska. Hur han lade upp årorna, placerade mig mellan sina ben och lät mig hålla i handtaget på spöet när han kastade med sin hand över min. Hans händer var mjuka och alltid varma. Nu såg jag på honom, och insikten om att pappa aldrig skulle få lära känna den man som jag älskat träffade mig som en skarp, fysisk smärta. Han skulle aldrig komma att veta, och detta skulle alltid stå mellan oss.

Plötsligt tittade han upp som om jag påkallat hans uppmärksamhet. Han lyfte sitt glas, väntade tills jag tagit mitt och lät dem sedan klinga lätt mot varandra. Så tonade smärtan bort.

"Nu äter vi", sa han bara, men hans grå ögon fortsatte att betrakta mig en liten stund.

Jag stannade i Tokyo nästan en månad. Tillräckligt länge för att vi skulle hinna skapa en daglig rutin. Vi åt middag ute varje kväll, vanligtvis på någon av de små restaurangerna i närheten av pappas lägenhet. En del dagar träffades vi inne i staden och åt lunch, ofta på Nationalmuseet för modern konst där man till och med på vintern kunde sitta ute om vädret var soligt. Ibland tog jag tåget in till staden, vanligtvis bara för att gå omkring på gatorna och titta på folk. Flera gånger åkte jag till Asakusa och stannade och åt lunch på den lilla restaurang dit pappa och jag hade gått det första veckoslutet. Jag brukade sitta på golvet i det mörka rummet, omgiven av asiatiska konstföremål, förflyttad till en värld där jag varken hade förflutet eller framtid.

En dag efter lunch gick jag till Tokyo Tower. Jag

stod vid foten av det imiterade Eiffeltornet och tittade på människorna men gick inte in. I stället strosade jag vidare och kom till ett stort buddhisttempel. På baksidan fanns ett terrasserat område med hundratals små stenfigurer, många med haklappar och virkade röda mössor på sig, omgivna av färgglada vindsnurror, teddybjörnar och dockor. En medelålders europeisk kvinna, klädd i tjock sportjacka och vandrarkängor, höll på att fotografera med teleobjektiv. Jag stod stilla och tittade på. Efter en stund sänkte hon kameran och vände sig till mig.

"Mitzuko", sa hon. "Det betyder vattenbarn. Det här är de barn som inte klarade övergången från vatten till mänskligt liv." Hon beskrev en vid halvcirkel i luften över raderna av stenfigurer med röda mössor på huvudet. "Och det här är deras beskyddare", sa hon och pekade på en stor staty av en man som höll en stav i den ena handen och ett barn på den andra armen. "Jizo, den buddhistiska gudom som värnar om de ofödda." Hon såg på mig med ett generat leende. "Förlåt. Ni känner säkert till allt det där. Det är bara det att jag blir så rörd. Alla dessa barn. Så sorgligt. Och ni vet, det finns ingen verklig tröst för dem, trots Jizo. Någonsin. Vattenbarnen leker på stranden av den flod som rinner mellan den här sidan och den andra. De bygger torn av små stenar. Det är deras botgöring. Vaktade av ett monster. I evighet. Och där är denna fruktansvärda dubbla skuld. Barnet som har orsakat föräldrarna en sådan stor sorg genom att inte födas. Och föräldrarna som är orsak till att barnet för evigt får vistas i limbo genom att de inte skänkt det livet.

Dubbel skuld." Hon tittade i marken och sparkade i gruset med tån på sin känga. "Förlåt mig", sa hon och började stoppa ner kameran i dess fodral. Sedan nickade hon till adjö och försvann med ljudliga steg längs gången. Jag vandrade utmed raderna av mitzuko med händerna i fickorna. Från snurrorna kom ett svagt vinande och en och annan kråka kraxade.

På lördagsmorgonen det sista veckoslutet innan jag reste tog pappa och jag tåget till Nikko, där vi hade bokat rum för natten på ett traditionellt japanskt värdshus. Vi steg av tåget mitt i den lilla staden, ställde in våra väskor i ett förvaringsskåp på stationen och gick uppför kullen till tempelområdet. Vi lät oss driva med skarorna av besökare, inte tillräckligt ambitiösa för att utforska någonting mer ingående. En blek sol lyste, luften var varm och torr och vi tog av oss jackorna. Jag betraktade pappas rygg där jag gick bakom honom uppför stentrappan. Han rörde sig sakta, flämtade och stannade då och då för att ta igen sig lite men ville på något sätt ändå inte medge att han behövde vila. Plötsligt såg jag honom som han måste se ut i andra människors ögon: en man som närmade sig de sextio, lite överviktig, med en begynnande flint. Välklädd och välvårdad, hövlig och reserverad. Liknade jag honom? Skulle jag komma att likna honom mer och mer ju äldre jag blev? Som barn hade jag velat se ut som mamma, min vackra, eleganta mamma. Men jag fick höra att jag liknade pappa. Nu fann jag plötsligt likheten trösterik. Det kändes gott att veta att mannen framför mig var min far. Att jag var hans dotter.

Sent på eftermiddagen kom vi till värdshuset. Det fanns absolut ingenting omedelbart tilltalande hos det. Broschyrerna hade haft fullkomligt rätt, men på samma gång alldeles fel. Vi hade missletts av att vi satt likhetstecken mellan "genuint japanskt" och "charmigt". Men när den första besvikelsen lagt sig över att stället var så stort och atmosfären i så hög grad påminde om ett konferenshotell började vi så sakta trivas. Vårt rum var litet och kalt men vette mot en fridfull trädgård med stora träd. Vi installerade oss och iförde oss de bomullskimonor som man försett oss med. Vi hade beställt ett traditionellt bad före middagen. Det fanns ingen mer än jag i damernas avdelning, och jag visste absolut ingenting om ritualerna. Till min lättnad blev jag lämnad ensam och fick sköta mig själv. När jag tvättat mig gled jag naken ner i det varma vattnet där jag satte mig på avsatsen som löpte utmed hela bassängen. Mina fötter flöt upp framför mig. Vattnet var mycket varmt och mörkt och luktade svavel. Där, med kroppen svävande i det svarta vattnet, kände jag mig åter som om jag inte längre existerade i den verkliga världen. Som om jag hade trätt in i en mystisk zon mellan liv och död.

Senare tog vi plats i vår lilla matsal, bara vi två. Vi satt på knä vid sidan av varandra och då och då kom servitrisen in genom öppningen mellan draperierna och ställde fram en ny rätt åt oss. Vi pratade lite om pappas arbete, och för första gången nämnde han sin pensionering. Han trodde att han kanske skulle säga ja om han blev erbjuden tidig pension. Så tittade han plötsligt på mig och frågade om jag hade pratat med mamma på sista tiden. Efter en besvärad tystnad sa jag nej. Det slog mig att han såg besviken ut.

Efter middagen gick vi upp till vårt rum. Vi ringde rumsservicen, beställde var sin öl och satte oss på de framlagda futonerna för att dricka. Jag sa att jag hade bestämt mig för att resa därifrån i slutet av veckan därpå. Jag hade bekräftat biljetten och skulle flyga till Stockholm på fredagen. Jag visste att han sedan länge planerat att åka till Bali över jul, och jag tänkte att han kanske oroade sig för vad han skulle ta sig till med mig om jag stannade längre.

Han nickade men sa ingenting.

Vi släckte ljuset och lade oss under våra täcken. Jag låg på sidan och tittade mot fönstret. Det var tyst och stilla. Senare, när jag vände mig på andra sidan, såg jag pappas rygg med täcket så långt uppdraget att bara hjässan stack fram. Hans andhämtning var lätt, men då och då blev det ett kort uppehåll, som hicka, i luft-strömmen. Jag vände mig på rygg och överväldigades plötsligt av en oerhörd sorgsenhet. En stilla, obestämd sorgsenhet, inte samma råa, fysiska smärta som tidigare. Sedan kurade jag ihop mig på sidan, och för första gången sedan jag lämnat Auckland grät jag.

Efter frukosten morgonen därpå checkade vi ut och gick för att titta på vattenfallen innan vi tog tåget tillbaka till Tokyo.

Den sista morgonen packade jag, duschade och klädde mig. Jag hade en liten bit snidad jade med mig från Nya Zeeland till pappa, och nu gick jag in i hans rum för att lämna den på hans sängbord. När jag lade den ifrån mig såg jag ett exemplar av min bok under ett par affärstidskrifter. Jag tog den och vägde den i handen. Den var skavd och medfaren, som om den blivit läst gång på gång, som om han tummat på den och burit den med sig. Jag slog upp den och tittade på orden jag skrivit i den. *Till pappa, min medresenär.* Jag lade tillbaka den och placerade den lilla påsen med jadestenen ovanpå den.

Pappa hade insisterat på att få köra mig till flygplatsen, men jag hade vägrat. Kompromissen var att han kom hem från kontoret för att köra mig till busstationen. Jag stod färdig och tittade ut genom fönstret när han stannade utanför huset, och jag stängde just lägenhetsdörren bakom mig när han steg ut ur hissen för att ta min väska. Vi hade kommit överens om att ta oss tid att äta lunch när vi lämnat in mitt bagage på busstationen. Vi satt vid ett litet bord invid en glasvägg med en atriumgård på andra sidan. Ljuset från en glaskupol högt ovanför föll på ett arrangemang av släta granitstenar och högt gräs. Vi beställde champagne och apelsinjuice som vi drack medan vi väntade på maten.

"Jag önskar ...", började han, men han avslutade inte meningen utan tittade ut genom glasväggen mot stenarna. Sedan harklade han sig och gjorde ett nytt försök. "Hör av dig om du behöver någonting." Just då kom servitrisen med maten och vi började äta.

Jag övertalade honom att åka innan bussen skulle gå. Vi sa adjö i hotellobbyn. Han omfamnade mig, sedan lät han handen glida nedför min arm och tog min hand. Han gav den en hastig tryckning och släppte den sedan tvärt. Innan han försvann runt ett hörn vände han sig om en gång och vinkade.

Jag flög till Stockholm men visste fortfarande inte vart jag skulle ta vägen.

32

... nu vill jag sjunga dig milda sånger

Eftermiddagen var varm när de körde hem, och de var överens om att ett bad var en bra idé. De bytte snabbt om och satte sig sedan i bilen igen och åkte till sjön.

Den här gången stod det två bilar där vägen slutade. Ett gäng tonåringar plaskade ljudligt omkring i vattnet och jagade varandra på sandstranden. Men när Astrid och Veronika satt sig ner kändes det som om det fanns tillräckligt med plats för att de skulle få vara nästan helt och hållet för sig själva.

Astrid log med hopknipna läppar medan hon tog av sig blusen och kjolen. Sedan reste hon sig, och nu var hennes tidigare självsäkerhet som bortblåst. Den färgglada baddräkten passade illa till osäkerheten, för att inte säga skräcken, som stod skriven i den gamla kvinnans ansikte. Veronika släppte sina shorts på marken och sträckte ut handen.

"Kom, så går vi i", sa hon och drog Astrid med sig. De vadade ut i den lena, mörka sjön, tog sig lite vacklande över remsan med småsten innan de nådde den mjuka sanden längre ut.

"Det är helt och hållet en fråga om att andas", sa Veronika. "Ofta handlar det om de mest elementära saker, eller hur? Målning och fotografering handlar i första hand om att se, påstås det. Skrivande handlar om att iaktta. Tekniken kommer i andra hand. Ibland är det enklaste det allra svåraste." Hon tog vatten i händerna och blötte ansiktet. "Och simning handlar om att andas. Kom ihåg att andas." Hon böjde knäna så att bara huvudet och axlarna syntes och tecknade åt Astrid att göra likadant. "Skönt, eller hur?"

Astrid nickade med hårt hoppressade läppar.

"Vänd ryggen mot mig", sa Veronika och Astrid gjorde som hon blev tillsagd. "Luta dig nu mot min arm. Jag håller armen under dina axlar medan du sträcker ut benen." Den gamla kvinnan lutade sig långsamt bakåt tills hon vilade på Veronikas arm. "Sträck armarna utåt sidorna och titta upp i himlen. Låt vattnet bära dig. Och andas."

Sakta dök Astrids tår upp framför henne som bleka svampar på den stilla vattenytan. "Ah!" sa hon. Inget mer.

När den gamla kvinnan andades lugnt och såg ut att inte vara rädd lättade Veronika gradvis sitt tag om hennes axlar tills hon stödde henne enbart med handen mot nacken och slutligen med bara fingertopparna.

När Astrid ställde sig på bottnen igen böjde hon sig fram och lade sina svala fingrar med huden som blivit rynkig av vattnet mot Veronikas kinder. "Tack", sa hon och vadade med osäkra steg mot land. Veronika gick längre ut och dök i det gulbruna vattnet.

När hon kom tillbaka över sanden fann hon Astrid sittande så som hon brukade med benen utsträckta framför sig. På huvudet hade hon sin urblekta solhatt och hon läste i en liten bok.

"Det var så länge sedan jag läste det här", sa hon och höll upp boken. "Karin Boye. Sätt dig, så ska jag läsa för dig." Hon nickade mot filten och Veronika satte sig ner. Hon slog armarna om smalbenen och tittade ut över sjön. "Den heter 'Min stackars unge'." Astrids röst skälvde lite när hon började läsa:

Min stackars unge, min mörkrädda,
som mött andarna av annat slag,
som alltid mellan de vitklädda
skymtar andra med onda drag,
nu vill jag sjunga dig milda sånger,
från skrämsel löser de och tvång och kramp.
De ber inte om de ondas ånger.
De ber inte om de godas kamp.

Se du skall veta, att allt levande
djupt inne är av samma slag.
Som träd och örter kan det växa trevande –
dras uppåt av sin egen lag.
Och träd kan fällas och blommor bräckas
och grenar tvina med förstörd kraft,
men drömmen gömmer sig – och vill väckas –
i var levande droppe saft.

Hon tog av sig glasögonen och tittade upp. "Jag har alltid tyckt mycket om den." Hon lät boken sjunka ner i knäet. "'Nu vill jag sjunga dig milda sånger.' Den raden är så vacker", sa hon. Veronika sträckte ut handen och Astrid gav henne den uppslagna boken. "Jag har aldrig hört den tidigare", sa hon med blicken riktad mot boksidan. Hon läste tyst en stund. "Det är den. Den är mycket vacker." Med diktsamlingen i handen tittade hon ut över sjön.

De körde hem med rutorna nedrullade och vinden mot ansiktet. När Veronika stannade och släppte av Astrid vid hennes grind vände sig den gamla kvinnan om och såg på henne. "Jag tror att jag ska kalla det här min födelsedag också. Välkommen på en gemensam födelsedagsfest i kväll." Hon lade sin hand på Veronikas ett ögonblick innan hon steg ur bilen.

Veronika hade duschat. Drypande våt och naken torkade hon imman av spegeln ovanför tvättstället och tittade på sin bild. Det kändes som om det var mycket länge sedan hon betraktat sig själv. Nu studerade hon ansiktet, de stora gröna ögonen inramade av korta svarta fransar och markerade mörka ögonbryn, den långa näsan, den stora munnen. Hon undrade om hon kanske hade gått ner i vikt. Ansiktet verkade tunnare, kinderna lite urholkade. Eller kanske det bara var tecken på att hon blivit äldre. Hon lyfte håret och inspekterade hakan. Hon rörde vid brösten, vägde dem i händerna, undrade om de också hade åldrats. Lät handflatorna glida längs huden på armarna, magen, låren. Och kände hur mjuk den var.

Sedan drog hon på sig ett par jeans och en vit skjorta och satte sig på yttertrappan med ett glas vitt vin i handen. Det var fortfarande varmt i luften. Hon tittade upp mot himlen som tycktes välva sig oändlig över henne, och hon visste att det var i just det ögonblicket som förskjutningen skedde. Ingenting hade blivit annorlunda från det ena ögonblicket till det andra, ändå hade en oåterkallelig förändring skett. Sommaren stod inte längre stilla: den hade börjat sin tillbakagång.

När hon närmade sig Astrids hus hörde hon musik genom det öppna köksfönstret. De intensiva tonerna i Brahmssonaten tycktes förstärka känslan av förlust. Medvetandet om att tiden var ändlig, att ett slut närmade sig. Veronika stannade med blicken fäst på fönstret. När hon såg Astrid gå omkring där inne i sitt kök överväldigades hon av ett minne från barndomen. Hon stod utanför ett hus och tittade in genom fönstret på sina föräldrar som kysstes. Nu insåg hon att det var det enda minne hon hade av några som helst ömhetsbetygelser mellan föräldrarna. Hon måste ha varit liten, kanske fem år, men tillräckligt gammal för att vara utomhus när det var mörkt. Ensam, utanför.

Veronika steg in i köket där Astrid stökade vid spisen. På bordet stod ett uppläggningsfat med tunt skivad gravlax och en liten skål med gravlaxsås. På ena sidan stod en korg med mörkt rågbröd och två champagneglas och en kyld flaska med fin champagne. Bordet var än en gång dukat med det spröda porslinet, och vinglasen var av kristall med gulddekoration. Den röda kjolen flaxade kring benen på Astrid som gick målmedvetet mellan spisen och bordet. Hon hade bytt ut den vita blusen mot en långärmad jacka av tunt, gräddvitt siden. Ärmarna var vida och hon hade kavlat upp dem så att underarmarna var bara. Hon lade märke till Veronikas blick och ryckte på axlarna, som om hon blivit generad.

"Jag vet, det är ett konstigt plagg att ha på sig så här. Egentligen inte avsett att användas ute bland folk. Den var min mammas. Någon sorts bäddjacka, skulle jag tro. Men den är så vacker och jag tänkte att den skulle passa på vår lilla fest." Hon smålog och vände sig åter mot spisen.

Veronika hällde upp champagne och de klingade lätt med glasen och skålade. Medan Astrid fortsatte med maten tog de sig var sin smörgås med lax och sås. Den nedgående solens strålar föll in i sneda stråk som blandades med ljuset ovanför bordet. Stearinljusens lågor fladdrade i de varma vindpustarna som svepte in genom fönstret.

"Nu sätter vi oss", sa Astrid när hon kom med ett fat och en karott från spisen. "Det har varit en händelserik dag för mig. Fylld av nya upplevelser", sa hon. "Den här rätten är däremot inte ny för mig, men jag har aldrig lagat den förut. Och det var mycket länge sedan jag åt den. Mamma brukade laga den, och det var det godaste jag visste. Hon hade ett namn på den, men min far kallade den rätt och slätt fiskbullar."

Hon bredde ut servetten i knäet och sköt fram fatet mot Veronika för att hon skulle lägga för sig. "Jag beställde färsk gädda i affären", sa Astrid när hon ställde ner fatet på bordet. Utan att ta för sig själv tittade hon förväntansfullt på Veronika som lade upp färskpotatis och sockerärter och till slut fiskbullarna.

Den gamla kvinnan satt stilla och såg på tills Veronika
börjat äta.

"Det är verkligen gott", sa Veronika och upptäckte
att hon lät förvånad. "Alldeles underbart."

Astrid log och började äntligen lägga upp åt sig själv.
Hon hade köpt nyzeeländskt vin. Beställt i lanthan-
deln och burit hem. Bilden av den gamla kvinnan som
fått gå flera vändor till affären fick Veronikas strupe
att snöras ihop, men när hon tittade på Astrid såg
hon ett ansikte som speglade frid och lycka, kanske
till och med förväntan. Veronika slappnade av, tog en
klunk av det svala vinet och lät aromerna blomma ut
i munnen.

När de ätit färdigt dukade de av och sedan gick
Astrid till skafferiet och kom tillbaka med en slipad
kristallskål till hälften full med smultron. "Jag hade
tänkt baka en tårta, men hann inte för allt det där
badandet", sa hon leende. "Men jag föredrar dem
faktiskt så här, med bara lite grädde till."

Hon satte sig och sköt ett tunt paket över bordet.
"Din present", sa hon. "Gratulerar på födelsedagen,
Veronika." Veronika öppnade paketet. Det innehöll
en liten bok med skinnpärmar. Det mörkbruna lädret
var sprucket och slitet.

"Det är min mors dagbok", sa Astrid. "Du hittar
receptet på gäddfärsbullarna där. Men mycket annat
också." Hon reste sig, gick runt bordet och satte sig på
stolen bredvid Veronikas. "Den börjar som en dagbok.
I april det året jag föddes. Här. Titta." Astrid slog
försiktigt upp bokens första sida. *"Till Sara på födelse-
dagen från Tate*. Den var en present från morfar. Och

du kommer att få se att den låter som en dagbok till att börja med. Hon skrev inte varje dag, bara då och då. Men här, i början, innehåller den daterade korta anteckningar om hennes liv. Det är personligt och rättframt. Men allt eftersom du läser kommer du att märka skillnaden." Astrid vände sakta bladen och dröjde med blicken vid vart och ett. "Jag har läst den så många gånger att jag ser varje sida klart och tydligt för min inre syn. Vartenda ord, bläckskriftens utseende. Jag behöver den inte längre. Men jag vill se den i händerna på någon som kommer att vara rädd om den." Hon stängde boken och sköt den mot Veronika men lät händerna dröja kvar på den. "Jag kan inte tänka mig någon bättre för uppgiften."

Veronika hade inte långt till gråten när hon tog emot boken och höll den i händerna. "Åh, Astrid." Hon böjde sig fram och tryckte en kyss på den gamla kvinnans panna. "Jag ska skydda och bevara den. Tack."

Astrid återvände till sin plats mitt emot Veronika. "Läs den inte nu. Vänta tills du är redo. Det är ingen brådska", sa hon. "Du har gott om tid."

Veronika nickade sakta.

"När jag vaknade i morse tänkte jag på den här dagen för ett år sedan, och då trodde jag att jag aldrig mer skulle kunna glädja mig åt en födelsedag", sa hon och såg på Astrid. Hon sträckte sig tvärs över bordet och tog den gamla kvinnans hand. "Men du har givit mig den bästa födelsedag jag någonsin har haft."

"Glöm inte att den är min också", sa Astrid och log.

33

... och den som mot stjärnorna ser
blir aldrig riktigt ensam mer.

Sommaren hade kulminerat. Trots att det fortsatte att vara soligt och varmt blev luften en aning kyligare för varje morgon, ljuset en nyans skarpare, kvällarna lite mörkare. Äpplena på träden i Astrids fruktträdgård mognade, och en dag hjälpte Veronika henne att plocka de körsbär som fanns kvar efter fåglarnas härjningar i det gamla trädet. Det var inte så mycket att det räckte till sylt, men på eftermiddagen slog de sig ner i skuggan på verandan och åt upp de söta bären.

Före middagen en kväll satt Veronika vid bordet i sitt kök. Boken började ta form, och hon följde med växande spänning den väg den valt att gå. Det var inte James bok, det visste hon nu. Den här boken hade pockat på att få komma emellan, och hon började tro att det var precis som det skulle vara. Hon skulle skriva James bok. Men inte än.

Hon reste sig och sträckte armarna över huvudet samtidigt som hon gick mot dörren. När hon kom ut på trappan stod fullmånen på den mörka himlen alldeles ovanför trädtopparna, lysande gul och leende. Det var en lördag i mitten av augusti och hon hade bjudit Astrid på kräftskiva. De hade kommit in i en trivsam rutin som omfattade dagliga promenader och middag ett par gånger i veckan, ömsom hos Veronika, ömsom hos Astrid. Livet hade fallit in i en stilla, förutsägbar rytm. Veronika kände frid. Vilade i nuet.

Hon tänkte just sätta sig på trappan när hon hörde mobilen ringa. Ljudet kom dämpat från övervåningen men slet ändå sönder stillheten, överraskande och envist. Hon sprang uppför trappan och hann fram innan den sista signalen tystnat. Det var pappa.

Månen hade makat sig högre upp på himlen när Astrid kom, medförande ett antal små papperslyktor fästa på en sladd. "Jag hittade de här i förrådet", sa hon med ett leende. "Om de fungerar vet jag verkligen inte. Det är kanske livsfarligt att använda dem." Men Veronika tog lyktorna och började reda ut sladden. Hon hade dukat för två med röda pappersservetter och sedvanliga löjliga pappershattar och haklappar. På ett uppläggningsfat låg ett berg av små kräftor med dillkronor på toppen. Där fanns bröd, smör och två sorters ost. Och en iskall flaska akvavit. På köksbänken stod datorn och ur den strömmade snapsvisor.

Astrid såg på Veronika som kämpade med sladden, sedan tog hon tag i den ena änden. Tillsammans lyckades de reda ut trasslet, och Veronika klev upp på en stol och knöt fast den ena änden vid rullgardinshållaren. Därefter gick hon till den andra sidan och fäste den andra änden. Raden av lyktor hängde nu i en djup båge framför fönstret, och när hon satte i stickkontakten tändes alla utom en. Astrid släckte taklampan och köket fick en helt annan atmosfär när bara lyktorna och de levande ljusen lyste upp det. Hörnen lades i mörker och dukningen såg festlig ut, kanske till och med lite mystisk. Veronika bytte skiva till en cd med folkmusik. Så satte de sig till bords.

"Pappa ringde i dag", sa Veronika när de var inne på sina sista kräftor. Astrid sög fortfarande på ett skal när hon tittade upp. "För att berätta att han tänker flytta hem till Sverige för gott. Han har tackat ja till ett erbjudande om tidig pension. Nu undrade han om jag ville hälsa på honom när han har kommit i ordning. Och kanske åka på semester med honom sedan. Göra ännu en resa tillsammans." Veronika petade frånvarande bland kräftskalen på tallriken. "Han sa att han har saknat mig." Hon såg på sina händer, men tankarna var någon annanstans. "Och jag insåg att jag har saknat honom också. Jag har tänkt att jag en dag kanske borde åka tillbaka till Nya Zeeland. Att jag kanske behöver ett avslut av något slag." Hon lyfte blicken och såg på Astrid. "Jag har tänkt att jag reste därifrån utan att sätta punkt för mitt liv där. Att jag behöver resa tillbaka."

Astrid torkade fingrarna på en servett. "Jag tror att om vi bara lyssnar på oss själva så vet vi vad vi måste göra", sa hon dröjande. "Och jag har kommit fram till att hur ont det än gör, hur svårt det än är, så måste man lyssna. Vi måste leva vårt liv." Hon tittade på Veronika och lutade en aning på huvudet som om hon försökte hitta de rätta orden. "Du har varit här ett halvår nu. Jag tror att det kan vara dags. När du känner dig redo. Men det är ingen brådska. Den dag kommer då ditt beslut framstår klart."

Hon hällde upp en liten skvätt akvavit åt sig och räckte flaskan till Veronika. "Nu skålar vi", sa hon och lyfte glaset. "För dig, Veronika. För ditt liv." Sedan ställde hon ifrån sig glaset på bordet och tittade på Veronika med huvudet på sned. "Men vi har mer att göra", sa hon. "Det är dags att plocka lingon. Och svamp. Följer du med ut i skogen?" Veronika nickade, och så var det bestämt.

Men nästa morgon vaknade Veronika till ljudet av regn. Hon tittade ut genom fönstret, och utsikten var borta. Hon såg knappt Astrids hus genom ösregnet. Det fortsatte hela dagen, och mot kvällen ändrade det karaktär, som om det reducerade styrkan för att orka hålla på längre. Iförda regnrockar och gummistövlar tog de båda kvinnorna sin dagliga promenad, men skogsturen måste skjutas upp i tre dagar.

Så var himlen äntligen klar igen. De väntade ytterligare en dag för att låta marken torka upp lite. Det var tidigt på morgonen och luften hade ännu inte blivit uppvärmd när Veronika knackade på Astrids dörr. Hon stod på verandan och fyllde lungorna med den rena luften medan hon väntade. Nu efter regnet var höstens doft klart urskiljbar. Våta löv, våt bark. Sand och lera.

"Inte för att någondera av oss kommer att behöva någon lingonsylt till vintern", hade Astrid sagt med ett egendomligt småleende och sett Veronika i ögonen. "Jag tycker bara att det är något av det trevligaste man

kan göra här. Och jag tänkte att du borde uppleva
det." Hon hade gjort ett uppehåll som om hon velat
låta orden sjunka in innan hon fortsatte. "Om vädret
är vackert kan vi ta matsäck med oss. Och vi ska gå
till alla mina egna ställen där tuvorna dignar av bär.
Vi hittar kanske till och med svamp, fast det är lite
tidigt."

Veronika drog på nytt in den glasklara luften och
kände att dagen skulle bli fulländad. Astrid öppnade
dörren med korgen i handen och sina avklippta gum-
mistövlar på fötterna. Veronika hade en liten ryggsäck
med deras matsäck. De gav sig av över åkrarna och
in i skogen där det var stilla och svalt i halvmörkret
under de täta granarna. Det bar uppför, och Astrid
gick sakta. Veronikas blick vilade på den gamla kvin-
nans rygg. Även om stegen var långsamma verkade
hon säker på foten, som om hon befann sig i sitt rätta
element. Hon såg ut att automatiskt veta var hon
skulle sätta fötterna, och hennes rörelser var både
målmedvetna och graciösa.

Den täta granskogen glesnade lite i sänder, allt
eftersom de kom högre upp, och gav till slut vika för
tallar. De höga träden såg ut att hämta sin näring ur
enbart vitmossan som täckte deras rötter. Stammarna
sträckte sig raka och kala mot himlen, och luften dof-
tade kåda och tallbarr. Här och var i mossan lyste de
små röda bären. Veronika och Astrid började plocka.
De kunde sätta sig ner bekvämt och en lång stund
plocka de lingonklasar som var inom räckhåll. Vero-
nika koncentrerade sig på uppgiften; nu värmde solen
mot ryggen. När hon lyfte blicken upptäckte hon att

Astrid lagt sig och tittade mot himlen.

"Tack, Veronika", sa hon.

Veronika log. "För vad?"

"För allt det här", svarade Astrid. "Alltsammans."

Med korgarna tunga av bär gick de vidare, in i skogen på nytt. Bredvid ett stort granitblock stannade Astrid. Hon sträckte ut handen och klappade på mossan som täckte stenen. "Den här är det. Min bönesten. Där jag brukade stanna på den tiden när jag fortfarande trodde att det tjänade något till att be." Hon stod stilla en stund, försjunken i tankar, med handen vilande på stenen. Sedan fortsatte de, Astrid före, genom den täta skogen. Veronika kunde inte urskilja någon stig, och trots att Astrid höll undan grenarna åt henne fick de båda fullt med rispor på armarna.

Så tog skogen plötsligt slut. De böjde grenarna åt sidan och steg ut i klart solsken. Och det var precis så som Astrid hade beskrivit det. En cirkel med en kompakt mur av träd runt omkring. Mjukt gräs, silkeslent och blankt i solen, med samma färg som torrt lin och här och var smultronplantor med gulnande blad. Det var förunderligt stilla, inte en vindpust märktes; värmen var ljuvlig och friden total. Över dem välvde sig himlen glasklart blå, utan minsta fläck. De satte sig i gräset. Veronika tog ett lingon ur korgen och lät den sträva syrligheten fylla munnen. De var helt tysta.

Efter en stund plockade de fram matsäcken som bestod av kaffe och smörgåsar och åt utan att göra sig någon brådska. Här i lä av träden värmde solen. De tog av sig jackorna och lade sig på dem. Veronika tittade upp mot himlen som var så blå att det gjorde ont. Resten av världen kändes så avlägsen, overklig. Hon slöt ögonen.

Plötsligt kände hon Astrids hand på sin arm. "Titta", viskade den gamla kvinnan. Solen stod lite lägre på himlen, och trädens skuggor hade krupit ut i gläntan. Veronika följde Astrids blick. En stor grå fågel flög ljudlöst tvärs över den blå rundeln ovanför. En uggla. Astrid lade ett finger mot läpparna och viskade tyst: "Sch!" Fågeln svepte fram och tillbaka ovanför dem flera gånger innan den försvann i mörkret bland träden. De satte sig upp och Astrid vände sig till Veronika med ett leende. "Dags att gå", sa hon.

Nu tog Astrid en annan väg över mark täckt med tjock mossa som gav ett bedrägligt intryck av mjukhet. Under den dolde sig djupa sprickor och stenar, och de båda kvinnorna måste se upp med var de satte fötterna. Astrid höll ögonen på marken. Plötsligt stannade hon och böjde sig ner. Hon hade hittat en fläck där lysande orange svampar växte tätt, tätt.

"Nej, men se", sa hon. "Riskor. Blodriskor." Ur fickan tog hon upp en liten kniv och började skära av svamparna. "Ingen annan plockar dem", sa hon utan att titta upp. När hon äntligen rätade på sig hade hon en liten hög svamp i korgen ovanpå de mörkröda lingonen "Titta", sa hon och höll upp en. "De blöder när man skär i dem." Hon bröt en bit av hatten och droppar av mörkröd saft samlades längs kanten. "Det ser ut som blod. Kanske det är därför folk inte tycker om dem." Hon lade tillbaka svampen i korgen och torkade av fingrarna på byxorna. "Fast för en häxa passar de bra", sa hon med ett litet leende.

De fortsatte. Astrid hittade mer svamp och fyllde korgen till brädden. När de kom ut ur skogen och sakta gick över ängarna ner mot husen hade solen sjunkit nedanför trädtopparna. Himlen över byn var rosa, och från älven steg en dimma som dämpade alla färger.

"Jag rensar svampen så kan vi ha svampomelett till middag", sa Astrid. "Om du vill", tillade hon med en hastig blick på Veronika. "Och före middagen kan vi rensa lingonen och koka sylten. Vi tar och bär ut kokplattan." Hon ställde ifrån sig korgen på veranda-trappan. "Jag öppnar fönstret och hämtar förläng-ningssladden."

"Då kilar jag in till mig och hämtar en flaska vin", sa Veronika.

Medan solen gick ner rensade de lingonen som rann torra och blanka mellan fingrarna. De hade båda plockat rent, och det fanns bara ett och annat tallbarr eller något enstaka litet blad att plocka bort. När de var färdiga med båda korgarna var Astrids stora kittel halvfull med lingon. Hon hällde på vatten, ställde kit-teln på plattan och lät bären koka upp. Efter en stund tillsatte hon sockret, och den söta doften av kokande sylt fyllde luften när de slog sig ner med sina vinglas. Astrid började rensa svampen och släppte den ena efter den andra i en bunke medan renset föll på handduken som hon brett ut i knäet. Hon verkade mycket nöjd och belåten, arbetade snabbt och vant och skickade iväg de rensade svamparna till bunken med en knyck på handleden.

"Du hade rätt", sa Veronika. "Det har varit en per-fekt dag."

Astrid tittade upp och log. "Jag trodde väl att du skulle tycka om det." Så lyfte hon blicken mot himlen, som nu var intensivt mörkblå med en dragning åt lila. "Ingenting går upp mot det här. Kanske är det en mänsklig instinkt, denna drift att skörda inför vintern. Plocka bär och svamp. Konservera. Bevara. Jag har alltid tyckt att det ger en sådan tillfredsställelse." När svampen var färdigrensad tog hon handduken som hon hade i knäet och reste sig för att skaka den. "Och hösten är den årstid jag tycker bäst om. Somliga ser den som slutet på året. Döden. Men för mig har den alltid känts som en början. Ren och obelamrad, utan någonting som distraherar. Dags att se om sitt hus och förbereda sig inför vintern." Hon satte sig igen och lutade sig mot väggen, snurrade vinglaset mellan fingrarna. "Och det är gjort. Jag har sett om mitt hus", sa hon.

De stannade på verandan. När det blev kyligt i luften och dimman kom krypande gick Astrid in och hämtade två yllefiltar. De svepte dem om sig och satt behagligt varma i det djupnande mörkret. Veronika tittade upp mot himlen, och allt eftersom hennes ögon vande sig såg hon den intensivt svartblå rymden fyllas med stjärnor.

34

Byta ett ord eller två
gjorde det lätt att gå.
Alla människors möte
borde vara så.

Alla helgons dag. Den första lördagen i november. Veronika höll på att tända i köksspisen. Kylan hade kommit, men de senaste veckorna hade det varit lugnt och milt. Landskapet såg ut som om dess konturer mjukats upp av en vänlig hand som strött ett tunt lager snö på marken och dragit en lätt slöja över himlen. Solen hade lyst, men den stod lågt över horisonten och strålarna silades genom dimman som dröjde kvar hela dagen.

Hon hade nästan packat färdigt. Det var inte mycket hon hade haft med sig när hon kom, och det hade inte blivit mycket mer, men ändå hade det känts som ett stort företag, förenat med intensiva och motstridiga känslor som hon varken förstod riktigt eller kunde kontrollera.

Nästa morgon skulle hon köra till Stockholm för att träffa sin far. Några ytterligare planer hade hon inte gjort upp, men de hade pratat i förbigående om Nya Zeeland. "Det är en av de få platser som jag ännu inte har sett", hade han konstaterat. "Jag har aldrig varit i Nya Zeeland." Något mer hade han inte sagt, och hon hade inte svarat. Hon kände att hon måste få mer tid på sig för att komma fram till om hon ville ha sällskap på resan eller inte. Och hon trodde att han förstod.

Att packa var någonting som hon brukade fasa för och alltid sköt upp till sista minuten, men den här gången kändes det annorlunda. Trots att det fortfarande var en omvälvning, ett stort företag, fanns det på något sätt en mening med det, till och med ett inslag av förväntan. Planerna var visserligen inte fullt utarbetade ännu, men hennes handlingar var medvetna och genomtänkta. Hon var redo, och hon hade allt under kontroll.

Men när hon satt här vid bordet med sitt kaffe och tittade mot Astrids hus överväldigades hon av helt andra känslor. Tankarna på konsekvenserna av den förestående avfärden steg hastigt upp till ytan. De hade tyngt som en påtaglig fysisk smärta som hon ständigt burit med sig men hållit nedtryckt i sitt undermedvetna. Medan hon ägnat sig åt sina förberedelser hade hon plötsligt slagits av att hon bar på en sorgsenhet som hon inte varit medveten om. Nu häpnade hon över detta att hennes sinne kunde rymma så motstridiga känslor på samma gång. Det gick upp för henne att hon hade gjort huset och byn till sitt hem. Att hon för första gången i sitt liv stod inför ett uppbrott som skulle färgas av förstämning.

Hon tittade bort mot Astrids hus, och trots att hon inte såg något livstecken verkade själva huset levande. Sakta reste hon sig och gick upp på övervåningen för att packa det sista. Resväskan stod öppen på sovrums-golvet bredvid två kartonger som innehöll hennes böcker och cd-skivor. Hon drog ut lådan i sängbordet och plockade upp de få föremål som låg där: ett hår-spänne, hennes lilla anteckningsbok, en penna. Och under dem dagboken som hon fått av Astrid på sin födelsedag. Veronika satte sig på sängen och slog upp den. Ett par gånger tidigare hade hon tagit fram den, men varje gång hade hon lagt ner den i lådan igen utan att titta i den. Det hade känts som om hon behövde mer tid, ett annat perspektiv, för att få tillträde till dessa sidor. Nu öppnade hon den försiktigt, läste inte till att börja med utan tittade bara på skriften. Handstilen var kraftig och driven, och på en del sidor fanns det små teckningar i marginalen. Det var skisser av växter och fåglar. Några sidor tycktes ha skrivits i flera omgångar, som om den som höll pennan hade gått tillbaka och lagt till ytterligare kommentarer eller sådant som hon kommit på i efterhand. Mot andra halvan av dagboken var hela partier överstrukna så att bläcket dolde den ursprungliga texten. Veronika bläddrade långsamt tillbaka till första sidan och bör-jade läsa.

Den här boken kom till min födelsedag. Jag har inte fått någon post på så länge, men här är den alltså till-sammans med ett brev. Jag förstår inte varför det inte står något om barnet. Jag har skrivit varannan vecka, precis som förr. Har han inte postat mina brev?

Men de mår bra, både Tate och Mamele.

Veronika bläddrade flera sidor framåt.

Den här flickan vänder bort blicken nu, precis som de
andra. Det är tvättdag i dag och jag ser henne hänga
tvätten på klädstrecket. Hon är en rar flicka, men jag
vet att hon kommer att sluta snart.

Tvättdag
under den höga himlen
hänger mitt hjärta
på tork i vinden

Veronika sänkte boken till knäet och tittade ut genom
fönstret. Hon kände det som om hon kunde höra
orden i sina händer, som om de på något vis nådde
henne från den tysta byggnad som hon såg genom sitt
fönster.

Han ser inte längre på mig. Han låser in sig i arbets-
rummet varje kväll. Jag har slutat måla. Jag står
framför staffliet med penseln i handen, men mitt
huvud är tomt. Det är som om jag hade drabbats av en
egendomlig blindhet.

Men sedan går jag ner till älven och tittar på det vilt
framrusande vattnet och då kommer färgerna tillbaka.
Det är bara där jag kan finna dem. Aldrig i det här
huset.

Därefter hade ett par blad blivit utrivna, och Veronika
lät fingrarna löpa längs den ojämna papperskant som
fanns kvar.

Jag är väldigt stor nu, men jag önskar att jag på något sätt kunde skjuta upp förlossningen. Jag skulle vilja behålla barnet inom mig. Skydda det.

Jag tror att han skulle vilja att det var en pojke. Om han över huvud taget ägnar det en tanke. Men inom mig vet jag att det är en flicka. Jag har bestämt mig för att inte begära att hon ska döpas efter min mor. Jag vill att hon ska få ett namn som passar det här stället. Jag önskar att hon kommer att kunna leva lycklig här. Om han går med på det ska jag kalla henne Astrid. Den älskade.

Veronika bläddrade fram till de allra sista ord som gick att läsa.

Jag måste göra henne stark. Full av kärlek, men också stark, därför att

Meningen var inte avslutad och den återstående halvan av sidan var så överstruken med bläck att det såg ut som om papperet hade blötts upp och pennan gjort hål i det här och var. Veronika slog igen boken och satt en stund och tittade bort mot det andra huset. Sedan plockade hon upp den röda fleecejackan ur resväskan och svepte försiktigt in dagboken i det mjuka tyget. Så placerade hon byltet under det översta lagret av kläder i väskan.

När hon var färdig på övervåningen gick hon ner i köket igen och satt en stund vid bordet. Rummet vilade i halvmörker; dagsljuset hade redan börjat avta. Hon såg att Astrid hade tänt lampan ovanför sitt köksbord.

De hade kommit överens om att gå ner till älven och sedan till kyrkan under eftermiddagen. På allhelgonadagen var det troligt att till och med de gravar som ingen brydde sig om under resten av året fick besök. Och ett ljus. Från sin barndom hade Veronika ett minne av att de besökt hennes farföräldrars grav på allhelgonadagen. Det hade varit en dag som liknat denna: vindstilla, kylig och insvept i lätt dimma. Den stora kyrkogården i Stockholm hade varit upplyst av tusentals fladdrande ljuslågor. Hon hade gått i det magiska landskapet, glad över att ha sin fars hand att hålla i, osäker på om hennes upprymdhet var passande.

Veronika gick över till Astrids hus. Klockan var lite över två på eftermiddagen och det började redan skymma. När hon knackade på dörren öppnade den gamla kvinnan nästan genast, med ytterkläderna på. Hon drog sin stickade mössa över håret och började sätta på sig vantarna när hon steg ner på trädgårds- gången. Det låg snö på marken, men det var flera dagar sedan den fallit, och på gången var den borttrampad och gruset framme. Astrid tog Veronikas arm och så gick de nedför backen i trivsam tystnad.

Kylan bet i kinderna, men de var båda klädda efter vädret: Astrid i en tjock fårskinnsjacka och Veronika i en täckjacka med kapuschong. Det var vindstilla och de gick långsammare än på sina morgonpromenader. De hade ingen brådska. Träden var avlövade och över- dragna av ett tunt rimfrostlager; på åkrarna låg ett tunt snötäcke.

"Sådant här väder var det den dagen jag kom hit", sa Veronika. "Men det är en fundamental skillnad på mars och november." Hon tittade ut över byn nedanför. Inga tecken på liv syntes utom röken som steg från några av skorstenarna och blandades med dimman. "I mars vet man att ljuset är på väg, det gäller bara att hålla ut. I november måste man ha ork nog för att ta till sig mörkret. Ladorna ska vara fyllda, skörden bärgad." Astrid sa ingenting, men deras steg föll automatiskt in i en gemensam rytm. "Det sägs att mars är den svåraste månaden. Och jag har läst att barn som föds i november har de bästa förutsättningarna eftersom mödrarna har fått kraft av sommaren. Vi förknippar våren med nytt liv, fast våren ofta bringar död."

Veronika tystnade. När hon började tala igen stannade hon och vände sig mot Astrid. "För mig var mars den svåraste månaden", sa hon. "Våren är inte för de svaga, tycker jag. Men nu har jag varit med om den här sommaren och är redo. Jag är stark." Astrid teg fortfarande, men när de fortsatte att gå höll hon hårt om Veronikas arm.

De gick samma väg som på sin första promenad. När de kom ut ur den smala skogsremsan och fortsatte över de öppna åkrarna stannade de igen för att titta på den lilla klungan av moderna byggnader som såg extra beklämmande ut i detta väder. De kringliggande åkrarna låg kala och ödsliga; den mörka jorden var renblåst från snö. Där fanns inga uppvuxna träd, knappast någon växtlighet över huvud taget syntes kring husen. Veronika tyckte det såg ut som om de lutade sig mot varandra för att få stöd, ännu mer desperat nu än första gången de passerade dem.

"Jag har funderat på de där husen", sa Astrid. "Och det fick mig att tänka på en massa saker." De gick vidare. "Hur vi väljer att bo. Titta på byn och de gamla byggnaderna. De ligger också i en klunga. Jag förmodar att det är definitionen på en by." Båda två tittade över det öppna området mot kyrkan.

"Men de klamrar sig inte fast vid varandra så som de här nya gör", sa Veronika. "De gamla husen ser ut som om de har utvecklats på ett organiskt sätt, med tiden. De hänger inte ihop i en grupp – det är separata husindivider." Astrid och Veronika fortsatte längs vägen mot älven.

"Jag har tänkt på människorna som bor här i de här nya husen", sa Astrid. "Jag tror att de är gamla. Och jag tror inte alls att de är desperata. Och inte rädda heller." Hon gjorde ett uppehåll. "Jag tror att jag vet vad de söker." Hon lyfte ansiktet mot himlen där dimman ytterligare dämpade den nedgående solens svaga ljus. "Jag tror att de flyttade hit för att vara i närheten av varandra. Jag tror att det är människor som har insett att de behöver andra människor. Och har handlat efter denna insikt innan det blev för sent. Jag hoppas att jag har rätt. Det är som det ska att gamla människor bor i nya hus och att unga människor flyttar in i de gamla." Hon klappade Veronika på armen. "Jag vill gärna tänka mig att de inte lutar sig mot varandra därför att de är rädda. Nej, de omfamnar varandra. Och det tycker jag är bra."

Älvens rörelser var långsamma, som om vattnet var på väg att frysa. De gick upp på älvbrinken och ställde sig i snön för att se på den mörka, framglidande massan. Ytan föreföll stilla, rörelsen fanns på djupet.

"Vissa år åkte vi skridsko på älven", sa Astrid. "Men inte förrän i januari, när isen var säker. Och det gick inte varje år. Ibland lade sig inte isen ordentligt." Hon tog ett djupt andetag och tittade upp. "Vi är bara i november – vad den här vintern kommer att föra med sig vet vi inte."

Vägen längs älven till kyrkan var öde. De mötte inga bilar, hörde inga ljud. När de kom fram till kyrkogården upptäckte Veronika till sin förvåning att hon haft fel. Bara ett fåtal gravar pryddes av ljus, och där fanns bara en människa förutom dem, en äldre kvinna som tände ett ljus längst bort i andra änden av kyrkogården.

De stannade vid den mattsonska familjegraven; där plockade Astrid upp fyra små ljus ur jackfickan. Hon böjde sig ner, ställde dem i snön och tände dem. Det tog en stund – det var besvärligt att få eld på tändstickan och hon blev tvungen att ta en ny när den första fladdrande lågan blåstes ut. Veronika stod en bit ifrån och såg på medan den gamla kvinnan genomförde sin ritual.

När Astrid lätt flämtande rätade på sig brann alla fyra ljusen i snön. "Det fanns kärlek. Jag tror att det måste ha funnits kärlek", sa hon. "Jag tror att det är när man blir övertygad om att den har gått förlorad som den ibland förvandlas till sin motsats. Vi måste komma ihåg att vår kärlek finns inom oss. Alltid." Hon trevade i fickan efter en näsduk och när hon fått tag i den snöt hon sig. Veronika kunde inte avgöra om den gamla kvinnan grät eller om det bara var den kyliga luften som fick hennes ögon att tåras.

De lämnade familjegraven och gick bort till muren. Astrid tog fram ytterligare ett ljus och böjde sig ner. Veronika ställde sig på knä bredvid henne. Den lilla plattan var täckt med ett tunt lager snö och de hjälptes åt att borsta av den med sina vantklädda händer.

"Du förstår, Veronika, det fanns en tid när jag var rädd för att komma hit. Nu inser jag att det var mitt eget sällskap som skrämde mig." Astrid tog av sig vantarna, ställde det lilla ljuset på plattan och tände det. En liten stund höll hon händerna kring lågan. "Nu är jag inte rädd längre", sa hon och drog på sig vantarna igen.

De vände hemåt, och fast det inte var särskilt sent avtog dagsljuset snabbt. "Kom över så fort du är färdig", sa Astrid när hon öppnade grinden. "Jag väntar."

Veronika strövade genom huset. Det kändes reserverat, tyst, som om det redan var på väg bort från henne. Hon hade städat överallt och ställt tillbaka allting så som det stod när hon kom. Och plötsligt var det inte längre hennes. Länken mellan henne och huset hade brustit. Båda två riktade blickarna mot nästa fas. Hon hade inte tänt några lampor, och när hon gick fram till köksfönstret såg hon det varma ljuset i Astrids hus lysa emot sig genom mörkret. Den gamla kvinnan rörde sig av och an inuti ljuset, en docka i ett dockhus, och Veronika blev stående vid fönstret en lång stund.

Det hade börjat snöa när hon stod utanför Astrids

dörr. Glesa flingor, skira och torra, singlade i luften men såg ut att upplösas innan de nådde marken. I köket var bordet än en gång dukat för två med Astrids finporslin.

"Vissa regler gäller för den här middagen", sa den gamla kvinnan när hon förde Veronika ut i köket. "Inga avsked. Det är bara en vanlig middag." Hon gick bort till spisen och böjde sig ner efter ett vedträ. "Som du kommer att se är maten väldigt vanlig. Pannkakor." Hon log och vände ryggen åt Veronika för att lägga in veden i spisen. "Och i morgon vinkar du bara när du kör förbi", tillade hon. "Stanna inte."

Veronika betraktade den gamla kvinnans rygg. "Visst", sa hon. "Vi äter bara en vanlig middag. Även om jag tvivlar på att pannkakor någonsin kommer att vara vanliga för mig hädanefter."

Astrid hällde smet på pannkakslaggen och Veronika slog upp var sitt glas rödvin. Hon tänkte ställa Astrids vid sidan av spisen, men den gamla kvinnan sträckte ut handen och tog emot det. "Skål för dig, Veronika", sa hon och höjde glaset. "Lycklig resa. *Bon voyage*." Så rodnade hon och gjorde en grimas. "Se bara. Vem är det som sätter igång med avsked?" Hon gick fram till Veronika och bredde ut armarna. "Då kan jag väl lika gärna göra det ordentligt då", sa hon och omfamnade den unga kvinnan. En stund höll hon hårt om Veronika innan hon släppte henne tvärt och återgick till matlagningen.

Efter middagen satt de kvar vid bordet och lyssnade på musik. Astrid hade inte spelat Brahms mer än en gång. "En gång räcker för en vanlig middag. Nu tar vi någonting annat", sa hon och stoppade in en av Veronikas cd-skivor. Hon hade släckt lampan ovanför bordet. Det enda ljuset kom från stearinljusen, och det nådde inte längre än till deras ansikten.

"Låt mig hjälpa dig med disken", sa Veronika, men den gamla kvinnan lyfte ena handen och skakade på huvudet. "Jag har all tid i världen att diska", sa hon men kom på sig själv och gjorde en grimas. "Det här är för svårt, Veronika. Jag tror att jag måste be dig gå." Hon tittade intensivt på den unga kvinnan som nickade sakta.

"Lova att du står där i morgon, alldeles innanför fönstret", sa Veronika. "Lova att du vinkar tillbaka."

Astrid log ett tunt leende och nickade. "Jag lovar", sa hon.

Veronika sköt tillbaka stolen och reste sig. Sedan gick hon runt bordet och lade händerna mot den gamla kvinnans kinder och strök håret bakom öronen. Hon tryckte läpparna mot Astrids panna. Så vände hon sig bort och gick, utan att se sig om. Tyst stängde hon dörren bakom sig.

Hon gick sakta längs trädgårdsgången till grinden och vidare ut på vägen; den lätta nysnön yrde upp för varje steg hon tog. När hon svängde in på sin egen gårdsplan kastade hon en blick mot det andra huset. Det var mörkt i köket. Hon lyfte armen och vinkade. Hon kunde inte vara säker på att det kom någon vinkning till svar, men hon ville gärna tro det.

I samma ögonblick som Veronika stängde dörren blåste Astrid ut ljusen och satt i mörkret. Hon log trots att tårarna rann. Genom fönstret såg hon Veronikas gestalt avteckna sig mot nysnön. Och när den unga kvinnan lyfte sin hand och vinkade gjorde Astrid likadant.

35

... när det dagas

Vägen gick längs en sandig landtunga, en naturlig pir som delade vattnet. På båda sidor växte vitmossa, och raka tallstammar sträckte sig mot den bleka himlen.

Det var mars, precis som den första gången. Men kvällen var klar och mild och ljuset mjukt. Solen hängde strax ovanför trädtopparna och speglades i sjöns mörka yta. Våren var tidig. Sjön hade gått upp, och fast det fortfarande låg snö på åkrarna utmed vägen sträckte sig körbanan torr och ren framför henne som ett ringlande band mot fjärran.

Det fanns ingen annan trafik. Hon hade inte sett en enda bil sedan Ludvika. Den hyrda Volvon var bekväm och anonym och hade ännu den artificiella doft som ett nytt fordon har innan det präglats av kontakten med mänskliga kroppar. Veronika hade radion inställd på en lokalstation som just nu sände kvällsnyheter och väderrapport. Hon lyssnade till språkets ljud mer än till innehållet – rytmen, välbekant och främmande på samma gång. Som om den inte var riktigt hennes längre. Hon hade inte tänkt komma iväg så sent, men nu njöt hon i fulla drag av körningen i den tidiga kvällen och tanken på att tillbringa natten där. Hon skulle stanna i grannbyn och hämta nycklarna hos mannen som hade hand om dödsboet.

Precis innan hon lämnade skogen bakom sig och kom ut på bron såg hon två älgar stå blickstilla i en liten glänta. Solen hade sjunkit bakom trädtopparna och djuren avtecknade sig som svarta silhuetter mot snöfläckarna och det bleka fjolårsgräset. Hon saktade farten. När hon körde över bron hörde hon det dämpade bruset av vattnet som rörde sig i bedräglig ultrarapid.

Hon hade fått en bra beskrivning av huset och hade inga svårigheter att hitta det. Det var en modern tegelbyggnad bland äldre, faluröda trähus. Luften var stilla; askgrå rökpelare steg rakt upp från skorstenarna. Inga ljud hördes förrän en mycket gammal golden retriever som låg bredvid yttertrappan upptäckte henne och gav till ett föga övertygande skall. När hon gick längs trädgårdsgången till dörren kände hon att kvällskylan var på väg. Åkrarna längre bort låg svarta och kala i väntan på harven.

Det var lördagskväll och hon hade lite samvetskval för att hon störde när hon ringde på dörrklockan. Genom dörren hörde hon det dämpade ljudet från en teve, och i fönstren i åtskilliga av de andra husen såg hon ett fladdrande sken.

Kvinnan som öppnade hälsade vänligt på henne och vinkade åt henne att stiga in i hallen. Det övermöblerade utrymmet var varmt och ombonat. Det luktade svagt av matos.

"Du måste vara Veronika Bergman", sa kvinnan och sträckte fram handen. Hon var fyllig och inte särskilt lång, klädd i en marinblå joggingdress. På fötterna hade hon stora fårskinnstofflor. Hon frågade om hon fick bjuda på kaffe, men Veronika tackade nej. Då ropade kvinnan på sin man som genast kom ut genom dörren längst bort i hallen som om han stått och väntat på sin stickreplik. Han var storvuxen – lång och kraftig – med ett öppet och vänligt ansikte. Precis som sin fru var han klädd i joggingdress. Byxorna spände över hans muskulösa lår och tröjan satt åt över axlarna. Ärmarna var uppdragna så att handlederna var blottade. Hans handslag var fast och handflatan grov och valkig. När de hälsat stoppade han händerna i byxfickorna och klarade strupen.

"Jag har ordnat allting enligt instruktionerna", sa han. "Jag hoppas att allt ska vara till belåtenhet. Det är bra att det inte är så kallt. Du borde inte ha några problem med vattnet." Han gjorde en paus som om han letade efter något mer att säga "Det var sorgligt att den gamla damen skulle sluta på det sättet. Fast hon valde ju faktiskt själv." Han strök sig över hakan med ena handen och klarade åter strupen. "Ett ögonblick bara så ska jag hämta nycklarna."

Mannen försvann genom dörren till vänster, och ett ögonblick senare var han tillbaka med ett stort brunt kuvert. Han räckte det till Veronika och lade sedan armarna i kors. "I det där finns en del papper som hör till fastigheten. Ta dig en titt på dem när du får tid och hör av dig om det är något du undrar över." Han sträckte fram handen för att säga adjö. "Visst, ja. Det ligger ett brev från fru Mattson också inuti det. Hon sa åt mig att lämna det tillsammans med nycklarna." Han släppte Veronikas hand och stoppade på nytt sin egen i fickan. Sedan slog han ner blicken och gungade fram och tillbaka på fotsulorna. Till slut sa han bara: "Lycka till då."

Frun ställde sig bredvid honom i dörröppningen och båda vinkade adjö när Veronika tackade och gick nedför trappan. Hon hörde dörren stängas bakom sig och anade att de var glada att få återgå till sin lördagskväll. Också hon kände sig lättad.

Utanför grinden stannade hon, öppnade kuvertet och plockade fram nycklarna. Hon vägde dem i handen. Det var två stycken: en gammal, tung och svartnad; en blänkande ny till ett patentlås. Båda satt på en enkel nyckelring. Veronika stoppade dem i fickan och klev in i bilen.

Och påbörjade den korta färden till huset. Sitt hus. Men först måste hon stanna till på ytterligare ett ställe.

Under den lilla stund som gick innan hon saktade in på nytt hann skymningen falla. Skarpa gula fyrkanter av ljus visade var det låg enstaka bondgårdar längs vägen, men hon mötte bara ett par bilar. Före kurvan, alldeles innan kyrkan kom inom synhåll, bromsade hon in och svängde till vänster. Till slut stannade hon framför den höga vita byggnaden. Hon drog ett djupt andetag. Luften var kylig nu och blandad med en svag lukt av rök. Det var stilla, och allt hon hörde var det avlägsna brummandet från en och annan förbipasserande bil. Hon gick utmed kyrkans västra sida till begravningsplatsen på baksidan. Det var nästan mörkt, men snön som överlevt i skuggan invid muren avgav ett svagt ljus, nästan som om den varit självlysande, och ögonen vande sig snabbt.

Få av gravarna verkade välskötta, och bara ett par såg ut att ha blivit besökta på sista tiden. Bara en var ny.

"När jag lämnar mitt hus blir det för kyrkogården. Jag har valt ut platsen och betalat för den. Jag var tvungen att försäkra mig om att jag skulle få den plats jag ville ha, förstår du", hade Astrid sagt en dag när de passerat kyrkan.

Och här var den, Astrids plats. Där fanns ingen riktig sten; en liten granitplatta låg platt på marken. Bara hennes namn och orden:

... *nu vill jag sjunga dig milda sånger.*

Bredvid den låg en annan platta, lika stor och i samma färg men gammal och med namnet Sara knappt läsligt under mossan och lavarna.

Veronika stoppade handen i fickan och tog fram två bitar jade från Nya Zeeland. Hon höll dem i handen, slöt fingrarna om dem. De var släta och varma. Hon lade en på vardera stenplattan. Sittande på huk följde hon den ensamma raden i graniten med fingrarna.

... *nu vill jag sjunga dig milda sånger.*

Hon satt kvar, sjönk slutligen ner på knä och drog handen över den kalla stenens yta.

Ett plötsligt hundskall långt borta återkallade henne till nuet. Hon reste sig sakta och gick tillbaka till bilen.

Affären var naturligtvis stängd när hon körde förbi.

Trasiga plakat annonserade sina extraerbjudanden för obefintliga ögon. Veronika tog den sista skarpa svängen och fortsatte uppför backen. Det lyste inte i några av husen längs vägen. Vid backens krön svängde hon in på grusvägen och passerade staketet med raden av brevlådor. De små timrade uthusen där bakom var bara skuggor.

Framför grinden stannade hon och steg ur bilen. Utöver det svaga susandet från motorn som stängts av hördes inte ett enda ljud. Hon kände doften av fjolårslöv och fuktig jord som var på väg att frysa ännu en natt. Hon stod orörlig en stund och betraktade det tysta huset, sedan öppnade hon grinden och gick uppför trädgårdsgången. Gruset var fruset till en kompakt kaka, hård och torr under fötterna. Nycklarna studsade mot hennes lår när hon steg upp på trappan, och när hon fiskade fram dem kändes de varma. I det översta låset stoppade hon den gamla nyckeln, men det gick inte att vrida om den. Hon blev tvungen att trycka axeln mot dörrbladet och lyfta i handtaget innan låset motvilligt gav med sig. Patentlåset gled ljudlöst upp vid första försöket.

Hon hade väntat sig att luften i den mörka hallen skulle vara unken och kall, i stället steg hon in i ett halvmörker som kändes varmt mot ansiktet: doftlöst, torrt och stilla. Det var som om huset hade väntat på henne. Allt var städat och vädrat och värmen påsatt. Det var redo. Hon sträckte ut handen för att tända ljuset, men ändrade sig och fortsatte i mörkret. Med långsamma steg och händerna utsträckta gick hon som en sömngångare genom hallen, men när hon steg in i köket räckte det svaga ljuset som föll in utifrån för att hon skulle reda sig. Framme vid fönstret stannade hon och tittade ut över fältet där gräset låg platt under ett tunt, osammanhängande täcke av kornig snö. Hon lade handflatorna mot det kalla glaset och pressade pannan mot det.

Hennes gamla hus stod tyst på andra sidan fältet och de svarta fönstren stirrade utan igenkännande på henne. På gräsmattan framför huset stod en gungställning, och häcken mot vägen hade blivit klippt. Det var inte längre ett föräldralöst hus.

Hon satte sig vid köksbordet och lade kuvertet framför sig. Först plockade hon ut papperen, sedan vände hon upp och ner på kuvertet. Brevet föll ut på bordduken. Ett tjockt brev i ett gulnat kuvert med gammalt torkat klister. Det var förseglat med en tejpremsa.

På framsidan stod hennes namn. Den välbekanta handstilen var elegant, om än lite osäker: *Till min käraste Veronika.*

Veronika strök med händerna över kuvertet och kände en liten klump inuti det. När hon skakade försiktigt på det föll ett litet föremål ut och landade med en lätt duns på bordet. Astrids guldmedaljong. Veronika plockade upp den, och den tunna kedjan rann mellan hennes fingrar. Det var en liten oval medaljong med en stjärna graverad på framsidan. Hon lindade kedjan om fingrarna och slöt handen om medaljongen; lät båda händerna vila på kuvertet och tittade ut genom fönstret.

Så trevade hon med handen längs bordskanten och fann handtaget till lådan där hon visste att Astrid hade förvarat sina stearinljus. Från spiselkransen hämtade hon sedan mässingsljusstaken och tog samtidigt tändsticksasken som låg överst i vedkorgen bredvid spisen. Hon tände ljuset och började läsa.

36

Må det blåsa god vind.
Må det falla vit snö.

VÄSTRA SÅNGEBY JANUARI 2004
Min käraste Veronika

Du sitter vid köksbordet. Det är mars igen. En kväll
som den då du kom hit förra gången. Du har tänt ett
ljus och jag kan se dina händer som håller det här
papperet på bordet. Ditt ansikte är lugnt, dina axlar
är avslappnade. Ditt lockiga hårsvall faller kring ditt
ansikte, men jag tror att du omedvetet stryker bort det
från ansiktet och håller ihop det i nacken.

Fast jag skulle förstås kunna ha alldeles fel. De
här orden blir kanske aldrig lästa. Eller också kan du
befinna dig var som helst i världen när mitt brev når
dig. Men om allt går som jag har tänkt mig kommer
du att vara här. I köket där det började. Det finns ljus i
bordslådan. Tändstickor överst i vedkorgen vid spisen.
Du bör ha funnit huset snyggt och prydligt men tömt
på allt utom det allra nödvändigaste. Jag vill inte ställa
till besvär för dig. Inte komma med några krav. Jag vill
att det ska vara en gåva utan förpliktelser.

Den där första kvällen i mars befann jag mig precis

där jag nu placerar dig. Vid fönstret. Nu tänker jag
på det som den första vårsolen på en bottenfrusen sjö.
För mig känns det som om den där isen på något vis
smälter underifrån. Värmen kommer uppifrån, men det
är inte förrän djupen nedanför har värmts upp som isen
till slut ger med sig. Den blir porös, vatten börjar sippra
igenom, den släpper från land. Den första ljusglimten
efter ett mycket långt mörker var vad din ankomst
innebar. Jag såg konturerna av din smala gestalt när
du gick liksom i en tunnel av ljus från billyktorna, tills
du hade burit in allting från bilen. Långt efter det att
du hade stängt dörren satt jag kvar vid bordet. Jag såg
ljuset släckas i det ena rummet efter det andra. Och jag
tror att jag visste att livet hade återvänt.

Du har kommit mig nära på ett sätt som ingen
annan har gjort. Och jag vill gärna tro att jag har lärt
känna dig lite grand. Länge fann jag tröst i att inte ha
någonting. Eller någon. Men nu vet jag att det inte är
meningen att vi ska leva så. Jag sörjer inte över att det
dröjde så länge innan jag förstod det. Jag är tacksam
över att det hände över huvud taget. I somligas ögon
kanske mitt liv verkar tragiskt. Bortkastat. Men det
tycker inte jag. Du har gett mig ett nytt perspektiv. Du
drog mig ut i ljuset och livet igen, öppnade mina ögon.
Fick isen att smälta. Och jag är så oerhört tacksam.

Kärleken kommer till oss utan förvarning, och när vi
väl har fått den kan den aldrig tas ifrån oss. Det måste
vi komma ihåg. Den kan aldrig förloras. Kärleken är
inte mätbar. Den kan inte räknas i år, minuter eller
sekunder, inte i kilon eller gram. Det finns inget sätt
att ange dess storlek. Inte heller kan den ena kärleken
jämföras med den andra. Den bara är. Den flyktigaste

beröring av riktig kärlek kan man leva på ett helt liv.
Det måste vi alltid hålla i minnet.

Sörj mig inte, Veronika. Kommer du ihåg att jag sa
att det är sorgligt när vi glömmer en älskad människas
ansikte? Nu tror jag att vi aldrig gör det. Jag tror att vi
inbillar oss att vi har tappat bort dem när det som har
hänt är att de har blivit en del av oss och inte längre
kan betraktas objektivt. Jag skulle vilja att du tänkte så
på mig. I vetskapen att jag alltid kommer att vara hos
dig även om du inte kan minnas mitt ansikte.

Min käraste Veronika, med det här huset följer inga
förpliktelser, inga måsten. Du är fri att göra vad du
vill med det – ge bort det, överge det, sälja det. Men
jag hoppas att du väljer att ta emot det. Det är ett hus
som behöver kärlek och lycka. Det förtjänar det. På
något sätt tror jag att dess tid har kommit. Om det blir
tillsammans med dig – som jag hoppas – eller någon
annan är inte så viktigt. Jag vill gärna tänka mig att
barn kommer att springa upp och ner för trappan.
Och jag föreställer mig fullt med folk till jul, nyår och
midsommar. Jag ser framför mig lata sommardagar när
barn leker i trädgården och plockar smultronen.

Men å andra sidan tänker jag mer på dig än på huset.
Det här är andra gången i mitt liv som jag tar steget att
avstå från någon som jag älskar. Men den här gången
är så olik den första. Inte sorglig i ordets vanliga
bemärkelse. Det har länge varit dags för mig att ge mig
av. Och jag skulle vilja föreställa mig att du är redo att
möta livet.

Lev, Veronika! Ta risker! Det är när allt kommer
omkring vad livet handlar om. Vi måste söka vår egen
lycka. Ingen har levt vårt liv före oss; det finns inga

riktlinjer. Lita på din instinkt. Godta ingenting annat
än det bästa. Men sök också eftertänksamt. Låt den
inte gå dig ur händerna. Ibland kommer det goda till
oss på ett sådant stillsamt sätt. Och ingenting är färdigt
från början. Det är vad vi gör av det som möter oss
på vår väg som bestämmer utgången. Vad vi väljer att
se, vad vi väljer att spara. Och vad vi väljer att minnas.
Glöm aldrig att all kärlek i ditt liv finns där inom dig,
alltid. Den kan aldrig tas ifrån dig.

Jag skulle vilja att du tänker på mig med ett leende.
Kom ihåg att där fanns kärlek. Det blev bara så att
jag lät hatet blockera minnena. Nu tror jag att mitt liv
kommer att sluta i ett slags triumf. Jag har återvunnit
kärleken i mitt liv.

Min käraste Veronika, det är din förtjänst. Du kom
hit den där mörka marskvällen och förändrade mitt liv
fullkomligt. Jag har inte ord för min tacksamhet. Det
här huset är bara ett litet, otillräckligt – och kanske
också krävande – tecken på min innerliga tacksamhet.

Du gav mig den här cd-spelaren och nu spelar jag
Brahms igen. Den sonat för violin och piano som
mamma brukade spela. Den fick jag också tillbaka
tack vare dig. Musiken. Tystnad var vad jag hade, en
sådan förfärligt lång tystnad. Så kom du in i mitt liv
och förde den med dig. Det har varit hjärtslitande
men också underbart. Jag vet ingen vackrare musik än
denna sonat. Jag lyssnar på andra satsen och jag måste
medge att tårar skymmer min blick, men det är inte
sorgens tårar. De känns varma och trösterika på mina
kinder. Jag tittar ut genom fönstret. Himlen är molnfri,
det är tidigt på eftermiddagen och solens sneda strålar
kastar ett varmt ljus över snön. Det är vindstilla och jag

ser röken från husens skorstenar nere i byn. Mjuka grå blyertsstreck mot den intensivt blå himlen, vars färg djupnar för var minut som kvällen kommer närmare. Även detta är något som jag har fått av dig. Förmågan att se. Att se skönheten. Och det är så vackert.

Jag är lycklig, Veronika. Mycket lycklig. Och så oerhört tacksam.

Jag skulle vilja att du tar dig tid att lära känna huset. Av någon anledning tror jag att du kan skänka det vad du skänkte mig. Liv. Jag tror också att huset kanske kan ge dig det som du verkar söka. Ett hem. Att det, vare sig du väljer att göra det till ditt hem eller bara en stilla fristad dit du kan ta din tillflykt då och då, kommer att ge dig en plats som du kan kalla hemma. En plats att resa bort ifrån och komma hem till. Vad du än bestämmer dig för, Veronika, måste det vara för din egen skull. Inte för min eller någon annans.

Kommer du ihåg den där dagen vid sjön när jag läste Karin Boye? Det finns en dikt av henne som heter "Morgon" som jag tycker är så vacker. De sista raderna lyder:

... ty dagen är du,
och ljuset är du,
solen är du,
och våren är du,
och hela det vackra, vackra
väntande livet är du!

Blås nu ut ljuset och gå till sängs. Sov gott, allra käraste Veronika, och vakna till en ny dag i morgon.

Din
Astrid

37

... och hela det vackra, vackra
väntande livet är du!

Veronika log när hon insåg att hon omedvetet hade samlat ihop håret och dragit det bort från ansiktet. Men tårar droppade från hennes haka till bordet.

"Astrid, jag är färdig med boken", viskade hon. "Jag hoppas att du kommer att tycka om den, för det är din bok. Jag kom hit med en väska full av sorger och en bok att skriva. Du hjälpte mig att se att även sorgerna var kärlek, glädje och skratt, en lätt börda att bära med sig. Boken blev till slut någonting helt annat än jag hade tänkt mig, men den är skriven och jag har den med mig i dag, i min resväska. Jag önskar att du satt här på andra sidan bordet med kaffemuggen i händerna, redo att höra mig läsa för dig. Och nickade lätt som ett tecken på gillande. Men jag tror att du vet. Och jag tror att du nickar.

Din historia var så angelägen. Det handlade om att slutföra någonting som börjat för länge sedan. Läka någonting som gjort ont så länge. Här är alltså din bok, Astrid. Jag har kallat den *Nu vill jag sjunga dig milda sånger.*"

Ljuset slocknade med ett fräsande. Först verkade det mycket mörkt, men när ögonen anpassat sig fylldes köket av det reflekterade ljuset från den nästan fulla månen som lyste på snön utanför fönstret.

Det var dags att gå till sängs.

God natt – god sömn jag önskar er,
ni alla vandringsmän.
Vi sluta sjunga och skiljas – vad mer
om aldrig vi träffas igen.
Jag har sagt något litet och fattigt av det
som brunnit hos mig och så snart brinner ner,
men den kärlek, där fanns, ej förgängelse vet –
god natt – god sömn åt er.

Dan Andersson, "Epilog"
ur *Efterlämnade dikter*, 1920

Författarens kommentar

Nu vill jag sjunga dig milda sånger skrevs under 2004
i mitt arbetsrum med utsikt över Auckland – det stora
fikonträdet, staden där bortom och till vänster en glimt
av havet. Själva utsikten och det södra halvklotets dra-
matiska ljus kunde ha distraherat, men det var en helt
annan syn som låg framför mig under skrivandet. En
liten by någonstans i Dalarna, en plats på andra sidan
jorden. Sverige fyllde mina tankar med en intensitet
som aldrig tidigare. Men boken kunde inte ha skrivits
någon annanstans än där, i Nya Zeeland. Avståndet var
nödvändigt.

Många människor har stöttat och uppmuntrat mig
i mitt arbete. Romanen skrevs som en uppsats på
Aucklands universitet, där framför allt Professor Witi
Ihimaera gav mig ovärderliga synpunkter och stor
respekt. Kursens övriga sju studenter är människor
jag alltid kommer vara tacksam att ha fått möta. Jag
önskar dem all framgång i sitt fortsatta skrivande.

Det var tack vare Linda Gray Hughes det hela
startade, det var hennes entusiasm som fick mig att tro
att det kanske skulle gå och jag är henne så tacksam.

Geoff Walker på Penguin New Zeeland såg någon-
ting i denna exotiska bok, agerade föredömligt snabbt

och professionellt och det var med stor häpnad – och glädje – vi kunde notera att den omgående hamnade på bästsäljarlistorna. Boken är nu den bäst sålda debutromanen i förlagets historia.

Samma snabba och professionella agerande har präglat kontakterna med min svenska förläggare och jag vill särskilt tacka Lilian Öster som uppmuntrade mig att låta Bonniers få se mitt manuskript, och Charlotte Werner som tagit så väl hand om både manuskriptet och författaren.

Lisbet Holst tog sig an utmaningen att översätta boken till författarens modersmål med lyhördhet, känslighet och stor professionalism – och en aldrig svikande integritet. Den här utgåvan är hennes till stor del. Rachel Åkerstedt var länken mellan oss och ingenting är starkare än en länk. Eller viktigare.

Det är naturligtvis med särskild glädje jag nu ser *Nu vill jag sjunga dig milda sånger* komma ut i mitt hemland. Att min längtan kommer hem.

Så, till sist: min kärlek till Frank som med sådant tålamod gav mig tid och utrymme.

Linda Olsson
Auckland i januari 2006

Källor till den poesi som citeras i boken

Jag vill rikta ett innerligt tack till följande personer och institutioner för att jag fått lov att citera ur dikter och sångtexter. Jag är djupt tacksam över det förtroende samt den stora generositet och vänlighet som visats mig. Ett särskilt tack till Mats Boye, vars förbehållslösa tillåtelse att citera rikligt ur Karin Boyes dikter jag erhöll på ett tidigt stadium och som gav mig självförtroende när jag tog itu med att införskaffa de övriga tillstånden.

Fleur Adcock; Rolf Almer för Bo Bergmans efterlevandes räkning; Monika Kempe för Erik Blombergs efterlevandes räkning; Mats Boye för citat ur Karin Boyes dikter; Brita Edfelt för versen ur "Demaskering" av Johannes Edfelt; Administration av litterära rättigheter i Sverige (ALIS) för tillåtelse att använda rader ur dikten "Detta skall du veta" av Gunnar Ekelöf; professor Erik Allardt för raderna ur dikten "Ljus i mörkret" av Ragnar Ekelund; Aina Enckell för tillåtelse att använda rader ur dikten "Bäst bygges" av Rabbe Enckell; Gösta Friberg; Lars Grundström för raderna ur dikten "Må –" av Helmer Grundström; Susanna Gulin för rader ur "Skuggan i rummet" av Åke Gulin; Stiftelsen Hjalmar Gullbergs och Greta Thotts Stipendiefond för tillåtelse att använda rader ur dikter av Hjalmar Gullberg: "Lägg din hand i min om du har lust!" och "Människors möte"; Erland Hemmer och Marie Louise Hemmer för tillåtelse att använda en rad ut Jarl Hemmers dikt "Stilla kväll"; Bengt Lagerkvist för tillåtelse att använda rader ur Pär Lagerkvists dikter "Vem spelar i natten?" och "Solig stig är full av under"; Ehrlingförlagen AB för tillåtelse att använda en vers ur sången "Visa vid midsommartid" av Rune Lindström; Finlands svenska författareförening för tillåtelse att använda rader ur Arvid Mörnes dikt "Ensam under fästet" och rader ur dikten "Jag var ett speglande vatten" av Emil Zilliacus; Margaret Orbell för tillåtelse att använda rader ur hennes översättning av dikten "Mātai rore au" (Kärlekssång) tillskriven en maoristam, obekant vilken; Stiftelsen Övralid för tillåtelse att använda rader ur Verner von Heidenstams dikt "Månljuset"; Notfabriken Music Publishing AB för tillstånd att använda en vers ur sången "Veronica", text och musik av Cornelis Vreeswijk, copyright © 1968 Multitone AB, by Warner/Chappell Music Scandinavia AB, tryckt med tillåtelse av Notfabriken Publishing AB.

Motto
Bo Bergman, 'Sömnlös' i *Äventyret,* 1969. I Bo Bergman, *Dikter: 1903–69*, Albert Bonniers Förlag, Stockholm, 1986, s. 168.
Kapitel 1
Cornelis Vreeswijk, 'Veronica' från albumet *Tio vackra visor och personliga Persson*, Metronome MLP 15313, 1968.
Kapitel 2
Emil Zilliacus, 'Jag var ett speglande vatten' i *Vandring,* 1938. I Tage Nilsson och Daniel Andreae (red), *Lyrik-*

boken: en svensk antologi, Forum, Stockholm, 1983,
s. 765. (Hädanefter Nilsson och Andreae.)

Kapitel 3

Erik Johan Stagnelius, 'Vän, i förödelsens stund',
ca. 1818. I Nilsson och Andreae, s. 634.

Kapitel 4

Hjalmar Gullberg, 'Lägg din hand i min om du har
lust!' i *Sonat*, 1929. I Hjalmar Gullberg, *Dikter*, Mån-
pocket, Stockholm, 1986, s. 76.

Kapitel 5

Edith Södergran, 'Min framtid' i *Landet som icke är*,
1925. I Edith Södergran, *Samlade dikter*, Månpocket,
Stockholm, 2002, s. 307.

Kapitel 6

Gunnar Ekelöf, 'Detta skall du veta' i *Partitur*, 1969.
I Nilsson och Andreae, s. 204.

Kapitel 7

Arvid Mörne, 'Ensam under fästet' i *Vandringen och
vägen*, 1924. I Nilsson och Andreae, s. 511.

Kapitel 8

Edith Södergran, 'Sorger' i *Dikter*, 1916. I Edith
Södergran, *Samlade dikter*, Månpocket, Stockholm,
2002, s. 59.

Kapitel 9

Jarl Hemmer, 'Stilla kväll' i *Väntan*, 1922. I Nilsson
och Andreae, s. 347.

Erik Axel Karlfeldt, 'Jungfru Maria' i *Fridolins
lustgård och Dalmålningar på rim*, 1901. I Nilsson och
Andreae, s. 379–80.

'Limu, limu, lima', folkvisa, trad.

Kapitel 10

Edith Södergran, 'Triumf att finnas till …' i *September-*

lyran, 1918. I Nilsson och Andreae, s. 669–70.

Kapitel 11

Bo Bergman, 'Hjärtat' i *En människa*, 1908. I Nilsson
och Andreae, s. 95.

Kapitel 12

Ragnar Ekelund, 'Du är hos mig ...' i *Ljust i mörkt*,
1941. I Nilsson och Andreae, s. 175.

Kapitel 13

Erik Blomberg, 'Var inte rädd för mörkret' i *Jorden*,
1920. I Nilsson och Andreae, s. 111.

Kapitel 14

Dan Andersson, 'Hemlös' i *Svarta ballader*, 1917. I Dan
Andersson, *Samlade dikter*, Wahlström & Widstrand,
Stockholm, 1989, s. 70–71.

Kapitel 15

Johannes Edfelt, 'Demaskering' i *Högmässa*, 1934.
I Nilsson och Andreae, s. 163.

Kapitel 16

Gustaf Fröding, 'Strövtåg i hembygden' i *Stänk och
flikar*, 1896. I Nilsson och Andreae, s. 264.

Kapitel 17

Gösta Friberg, 'Ingen' i *Växandet*, 1976. I Nilsson och
Andreae, s. 256.

Kapitel 18

Pär Lagerkvist, 'Vem spelar i natten?' i *Kaos*, 1919. I
Nilsson och Andreae, s. 413.

Kapitel 19

Johan Ludvig Runeberg, 'Minnet' i *Dikter. Tredje
häftet*, 1843. I Nilsson och Andreae, s. 552.

Kapitel 20

Karin Boye, 'Tillägnan' i *Härdarna*, 1927,
www.karinboye.se

Kapitel 21

Rune Lindström, 'Visa vid midsommartid',
AB Nordiska Musikförlaget, Stockholm, 1946.

Kapitel 22

Karin Boye, 'Morgon' i *Moln*, 1922, www.karinboye.se

Kapitel 23

Verner von Heidenstam, 'Månljuset' i *Nya dikter*, 1915.
I Nilsson och Andreae, s. 340.

Kapitel 24

Karin Boye, 'Du är min renaste tröst' i *Moln*, 1922,
www.karinboye.se

Kapitel 25

Åke Gulin, 'Skuggan i rummet' i *Kattguld*, 1970.
I Nilsson och Andreae, s. 291.

Kapitel 26

Fleur Adcock, 'Night-Piece'. I Ian Wedde och Harvey
McQueen (red), *The Penguin Book of New Zealand
Verse*, Penguin, Auckland, 1985, s. 386. Till svenska av
Lisbet Holst.

Kapitel 27

Dan Andersson, 'Den hemlöse' i *Efterlämnade dikter*,
1915. I Dan Andersson, *Samlade dikter*, Wahlström &
Widstrand, Stockholm, 1989, s. 168–72.

Kapitel 28

Okänd Maoristam, 'Mātai rore au' (Kärlekssång), till
svenska av Lisbet Holst efter Margaret Orbells engel-
ska tolkning. I Ian Wedde och Harvey McQueen (red),
The Penguin Book of New Zealand Verse, Penguin,
Auckland, 1985, s. 69.
Karin Boye, 'Tillägnan' i *Härdarna*, 1927,
www.karinboye.se

Kapitel 29

Rabbe Enckell, 'Bäst bygges' i *Sett och återbördat*, 1950. I Nilsson och Andreae, s. 219.

Kapitel 30
Pär Lagerkvist, 'Solig stig är full av under' i *Genius*, 1937. I Nilsson och Andreae, s. 418.

Kapitel 31
Minamoto no Shigeyuki, 960?–1000. Till svenska av Lisbet Holst från engelskan, av en okänd översättare.

Kapitel 32
Karin Boye, 'Min stackars unge ...' i *De sju dödssynderna*, 1941, www.karinboye.se

Kapitel 33
Bo Bergman, 'Stjärnornas hjälp' i *Kedjan*, 1966. I Bo Bergman, *Dikter: 1903–69*, Albert Bonniers Förlag, Stockholm, 1986, s. 161–62.

Kapitel 34
Hjalmar Gullberg, 'Människors möte' i *Att övervinna världen*, 1937. I Hjalmar Gullberg, *Dikter*, Månpocket, Stockholm, 1986, s. 236.

Kapitel 35
Cornelis Vreeswijk, 'Veronica' från albumet *Tio vackra visor och personliga Persson*, Metronome MLP 15313, 1968.

Kapitel 36
Helmer Grundström, 'Må –' i *Prasslet i asparnas skog*, 1954. I Nilsson och Andreae, s. 290.

Kapitel 37
Karin Boye, 'Morgon' i *Moln*, 1922, www.karinboye.se
Epilog
Dan Andersson, 'Epilog' i *Efterlämnade dikter*, 1920. I Dan Andersson, *Samlade dikter*, Wahlström & Widstrand, Stockholm, 1989, s. 145.

Haere Mai – välkommen på maoriska!

I mitt sommarprogram tänker jag reflektera över begreppet
längtan, särskilt hemlängtan. Skillnaden mellan längtan och
saknad. Mellan längtan och drömmar.

Jag bor så långt bort från den plats som jag föddes på som
man kan komma. Reser man längre är man på väg tillbaks. Jag
föddes i Stockholm och där bodde jag till 1986. Men nu bor jag
i Aotearoa, Nya Zeeland, på andra sidan jorden. Jag har bott
där sedan 1990, först i huvudstaden Wellington, sedan i landets
största stad, Auckland.

Vägen till Nya Zeeland var slingrig, och varje etapp på resan
kändes som ett litet isolerat steg. Inget stopp var tänkt att vara
slutdestination. Inte Nya Zeeland heller.

När vi lämnade Sverige 1986 begav vi oss av på ett äventyr
som var tänkt att vara i tre år. Jag tror inte man längtar när
man befinner sig i ett äventyr. Där bakom ligger tryggheten
och väntar och man behöver inte längta. Snart kommer man
ju att vara tillbaks.

För att uppleva längtan måste man känna sig osäker på om
man har en återvändo, tror jag.

För oss blev de tre åren fyra och fem, vi flyttade ofta, äventy-
ret rullade på. Men fortfarande handlade det om överblickbara
perioder. Ett år, två år, tre år i taget. Och där hemma väntade
Sverige. När äventyret var över skulle vi smidigt smälta in i
den gamla miljön igen. Så var det tänkt. Jag minns inte att jag
kände den minsta hemlängtan då. Det var roligt att få hälsa på
hemma, men det smärtade inte att åka iväg igen. Snart skulle
ju äventyret vara över.

Inte förrän jag en dag insåg att jag nu bott i vårt hem i Auckland längre än jag bott i något annat hem i hela mitt liv slog det mig att det här inte är ett äventyr längre.

Det är mitt hem.

Det var då jag fick problem med min längtan.

Nyligen blev jag ombedd att recensera en antologi med berättelser skrivna av invandrare i Nya Zeeland. I en av dem skrev författaren så här:

"Det är någonting fundamentalt rätt med den plats där man fötts. Människorna där beter sig så som man väntar sig och de delar ens egna outtalade antaganden. Vädret är som det ska vara. Himlen, skogarna och fälten skulle inte kunna se ut på något annat sätt."

Och så är det, tycker jag. Jag tror det inpräntas tidigt och jag tror det fastnar för alltid. Det blir den mall som man senare kommer att jämföra alla andra platser med.

Så länge resorna är korta och vistelsen temporär är skillnaderna intressanta och spännande, kanske själva motivet för resan. Det är när den nya platsen blir permanent som perspektivet plötsligt ändrar sig. För mig blev det till ett bekymmer alldeles nyligen. Jag satt i mitt arbetsrum, där man om man sträcker på sig kan se en glimt av Stilla Havet genom fönstret. Solen lyste så intensivt som den bara gör i Nya Zeeland.

Det var mars, sensommar. Fortfarande badväder. Frukten på vårt päronträd började mogna, de små gröna feijoafrukterna likaså. Men när jag tittade ut genom mitt fönster var det inte en strimma av det glittrande Stilla Havet jag såg, eller solnedgången över Auckland. Nej, jag såg en helt annan marsmånad. Ett stelnat landskap, stilla, liksom hängande mellan två årstider. Inte vinter, men heller inga påtagliga vårtecken. En blek himmel, en värld av gråtoner. Isskorpa över urblekta apelsinskal och hundlortar. Fuktig grå dimma över ruttna gräsmattor, ljudet av mattpiskning och enstaka kraxande kråkor. Jag vet att man inte längre piskar sina mattor, det ljudet är utdött. Men i mitt minne hör det ihop med grå marsdagar i min barndoms Årsta söder om Stockholm. Då det kändes som om världen aldrig skulle vakna igen, som om ingenting någonsin skulle hända mer.

Tänk att man kan längta till sånt.

När mina kära vänner Greta och Svante körde mig och mina tre barn till Arlanda den där stilla midsommaraftonen 1986 kändes det vemodigt, men vi kämpade tappert med tårarna och upprepade att det ju bara rörde sig om ett kort avbrott. Om tre år skulle vi vara tillsammans igen. Men när jag tidigare tog farväl av min mamma tittade hon stint på mig och sa: "Du kommer aldrig att flytta hem igen." Min mamma är synsk, så orden vägde tungt. Ändå skrattade jag. "Tre år, mamma, sen är jag självklart tillbaks."

Och jag kom tillbaks, förstås, på besök, nästan varje år. Men besök är annorlunda. Man blir välkomnad, det ställs till med kalas vart man kommer. Men man räknas liksom inte riktigt. Och uttrycker man sin mening om någonting svenskt, skakar även de närmaste vännerna på huvudet och säger: "Du fattar ingenting."

Kanske är det så att man börjar förlora sitt hemland så fort man beslutar sig för att lämna det för mer än en kort semesterresa. Kanske förstår man inte vad som hänt i ens frånvaro, även om man läser på och försöker följa med. Allt befinner sig ju i ständig utveckling. Länge kändes det som om jag borde kunna resa iväg på ytterligare ett år eller så och räkna med att Sverige skulle stanna bakom mig, som ett Törnrosaland. Det skulle sova, med allt och alla tills jag landade igen. Fortfarande händer det att jag känner mig utesluten när jag upptäcker att någonting förändrats i min frånvaro. Gator som blivit enkelriktade, affärer som försvunnit. Jag har svårt att acceptera det. För det är ju ändå mitt. Mitt hemland, min hemstad. Tycker jag.

Eller tyckte jag i alla fall länge.

Häromåret hände det mig något märkligt. Jag hade landat på Arlanda och stod och väntade på mitt bagage. Folk runtomkring pratade med varann, de flesta på svenska. Och för första gången i mitt liv kunde jag höra hur det lät. Jag lyssnade på det som på ett främmande språk. Inte på orden, utan på själva rytmen, ljudet. Jag hörde det som musik. Och då blev jag väldigt rädd. Jag tänkte att mitt modersmål kanske flyttat ut. Att det kanske inte längre bodde i min kropp.

Vid ungefär samma tid, kanske samma besök i Sverige, hände något annat, lika stort, och för mig lika skrämmande.

När jag träffade Frank, som sedan blev min man, fick jag en ö. Den ligger i Gryts skärgård och den är oerhört vacker. För mig kom den att ersätta min barndoms Åland som jag förlorade när mina föräldrar skildes när jag var tio år. All den uppdämda kärleken till hav, öar och skärgård som jag burit med mig från Åland kom jag att investera i Franks ö. Jag kom att älska den med en kärlek som var het och passionerad. Och farlig. För ön var ju min bara till låns. Kunde förloras om vår kärlek inte skulle bestå. När vi först möttes, ön och jag, var det tidig vår, iskallt i vattnet, storm. Men det var ändå kärlek vid första ögonkastet. Nästa gång var det midsommar med doft av nattviol och varje hörn i huset fyllt av nattgäster. Kärleken bara växte. Jag älskade ön till och med på vintern när vi vandrade över isen och den var täckt av ett knähögt snötäcke utan spår eller vägar. För varje ny upplevelse brann min passion allt starkare. En vidunderlig kantarellskörd ett gott svampår. Ett nät fyllt med abborrar. Stilla augustidagar, ankrad längst ut i havsbandet. Alltihop. Jag älskade det passionerat.

Men så kom det där besöket. Allt var sig likt, precis så vackert som jag mindes det. Havet, bryggan, svanen som bygger bo på samma holme varje år, näktergalen dold bland asparna, orkidéerna i granitskrevorna. Men ändå, plötsligt, kände jag att jag kunde tänka mig att ge upp det. Glädja mig åt ett besök till, men utan att oroa mig över om det skulle bli något nästa. Det var skrämmande. Det var som om förtöjningarna lossnat. Som om jag förlorat min längtan.

Jag har förlorat en stor längtan tidigare i mitt liv. Kanske det inte var längtan, förresten, utan en dröm.

När jag var fem år satte min mamma mig i balettskola, något oerhört i den miljö där jag växte upp. Kanske var det ett utslag av min mammas egen längtan, kanske gav hon mig något hon själv velat ha. Från den allra första lektionen i fröken Törnros balettskola i gymnastiksalen i Midsommarkransens skola visste jag att balett skulle fylla mitt liv. Det var som om baletten blev den ram som mitt liv utspelade sig inom. Men efter två inträdesprov till operans balettskola utan att bli antagen insåg jag nog att jag inte skulle bli dansös. Till min farmor, som i många år städade på Oscarsteatern, sa jag då att om jag nu inte skulle komma in på balettskolan, så kunde jag kanske söka arbete som städerska på Operan. Så jag ändå skulle få vara där.

Min längtan var oerhörd och den ökade med åren. Så småningom hamnade jag i Lilian Karinas balettskola på Östermalmsgatan. Från Årsta innebar resan först 91:ans trådbuss, sedan spårvagn. Fyra kvällar i veckan. Hela vägen längtade jag. Varje mörk vintereftermiddag, varje slaskig vårkväll. När jag sedan gick genom den mörka gång som ledde fram till dörren till balettstudion, och hörde musiken från flygeln tränga ut genom dörren, Chopin oftast, ja, då nådde min längtan sitt crescendo. Och på hemväg började jag längta igen, redan vid Slussen.

Det var en stor sorg när jag lade balettskorna på hyllan när jag var femton. Inte förrän många år senare återupptog jag min träning. Det var roligt, men min längtan var borta. Jag kunde se på det som någonting separat från mig själv. En hobby i det närvarande. Det händer än idag att jag drömmer att jag dansar och det är alltid förenat med en stark lyckokänsla.

Märkligt nog kom balett in i mitt liv igen, långt senare och långt från Stockholm. 1994 blev jag utvecklingschef på the Royal New Zeeland Ballet. Arbetet i sig hade inte mycket med balett att göra, utan handlade om att försöka finna ständigt nya vägar för att finansiera verksamheten. Men jag var där, tillbaks i den miljö jag en gång varit beredd att städa för att få uppleva. Jag satt ofta med under repetitionerna och något rördes upp i min kropp. Ett minne av en längtan, kanske. Eller saknad.

När människor frågar mig vad jag saknar mest där i Nya Zeealand, brukar jag först säga vissa människor som jag älskar. Mina två äldsta söner. Max som bor i Stockholm och Felix i London. Jag längtar efter dem. Ständigt. Jag längtar efter min övriga familj också, min mamma, mina syskon, min vänner. Och varje gång vi ses igen upplever jag samma tillfredsställelse. Min längtan blir lugnad. För jag tycker det är så. Längtan är ett, aktivt, framåtsyftande tillstånd. Den kräver uppmärksamhet. Saknad, däremot, är stillsam och konstant. Jag saknar också. Jag saknar det jag vet att jag aldrig kan få igen. Jag saknar min pappa som gick bort alldeles för tidigt och alldeles för oväntat. Jag saknar min mormor och min farmor. Men till skillnad från min längtan är min saknad något jag accepterat och tagit till mig. Jag bär den med mig som en del av mig själv.

Men min längtan, den har ett eget liv. Den pockar på uppmärksamhet. Den hoppas.

När jag var sju år flyttade min älskade mormor till USA. Med undantag för ett kort besök där 1959 återsåg jag henne inte förrän jag var vuxen. Då satt vi en gång på hennes lilla balkong i

Kalifornien och tittade på en flock kolibrier på hibiskusbuskarna nedanför oss. Jag frågade om hon någonsin längtade hem. Hon var tyst en stund och sedan tittade hon på mig och sa: "Jag längtar jämt. Alltid." Jag frågade om jag inte kunde få bjuda henne på en resa hem. "Nej, kära Linda", sa hon. "Det är bara så länge jag stannar här och längtar som jag kan inbilla mig att det som jag längtar till finns. Och jag vill inte bli överbevisad om att jag har fel. Att min längtan är hopplös. Jag vill ha den kvar."

Jag tror att min mormors längtan hade övergått i saknad. Kanske för hon skulle kunna hantera den. Och jag tror att den under andra omständigheter skulle ha kunnat förbli längtan.

Jag minns den sista kvällen på det besöket. Vi bjöd på en gemensam avskedsmiddag. Jag lagade min fisksoppa och mormor sin blåbärspaj. Vi stod i hennes kök i Anaheim på varsin sida om köksbordet som var täckt med mjöl och socker. Plötsligt slutade mormor arbeta pajdegen och tittade eftertänksamt på mig. "Det är synd att inte du och jag är jämnåriga", sa hon. "Vi skulle vara de bästa vänner." Jag svarade: "Det är vi."

Kanske är det från min mormor som jag ärvt den här oron, oförmågan att stanna upp i nuet, denna besvärliga längtan.

Jag längtade efter min mormor varje dag hela min barndom. En jul några år efter det hon rest övertygade jag mig om att hon skulle överraska oss och komma tillbaks. Jag var så säker på att hon skulle finnas där igen i sin lilla lägenhet i Hammarby-höjden och att vi skulle fira jul igen tillsammans. Med fönstren igenimmade och balkongdörren på glänt och bordet dignande av sån mat som jag bara ätit där. Men hon kom inte. Inte den julen, inte någon annan heller. Vi fick aldrig mer någon jul tillsammans. Men hon längtade på sin sida om det stora havet och jag på min.

Och varje jul, varhelst jag varit har jag bakat mormors skurna pepparkakor. Det här är receptet:

165 gram sirap	330 gram smör
165 gram socker	ett halvt hekto hackad mandel

2 msk kanel	1 msk bikarbonat
1 msk ingefära	ett halvt kilo vetemjöl
1 msk nejlikor	

Medan jag smälter smör och sirap, hackar mandeln och blandar ihop alltsammans tycker jag det luktar mormor. Och jul. Och en tid som jag liksom får tillbaks litet grann av. Sen rullar jag degen till fyra knubbiga längder, lindar in dem i smörpapper och lägger i kylen så jag kan skära och grädda litet vartefter, för att liksom dra ut på det lyckliga. Det här har jag gjort över hela jorden snart: i Nairobi, Singapore, London, Wellington, Auckland och Tokyo. De blir aldrig riktigt så goda som när mormor bakade dem i Hammarbyhöjden. I Auckland blir de till exempel inte så knapriga som de ska vara. Jag antar att det beror på den fuktiga havsluften och sommarvärmen.

Nu är min mormor borta sedan många år och min längtan har blivit saknad. Det hände den natten hon dog. Jag vaknade uppfylld av en intensiv dröm: mormor hade legat bredvid mig i min säng där i den varma försommarnatten i Auckland. Hon var naken och sårbar och jag sköt in min hand under hennes huvud, drog henne till mig och svepte om oss mitt täcke. På morgonen ringde min moster från Kalifornien för att berätta att mormor oväntat och hastigt insjuknat och att hon dött under natten. Och då blev min längtan efter mormor till saknad. Och den bär jag med mig vart jag går.

Jag tror att människor som längtar är beskaffade på ett särskilt sätt. Och jag tror det finns människor som inte längtar. Det är beslutsamma, rationella människor som när de känner en liten gnutta längtan genast gör något åt saken. Och om de måste vänta på att stilla sin längtan, kan de stoppa undan den i viss-heten om att den kommer att åtgärdas i sinom tid. Längtan har ett inslag av vankelmod, kanske till och med självplågeri. Den är opålitlig också. Just som man fått sin längtan tillfredsställd kan man inse att det inte alls hjälpte. Ens längtan byter omgående föremål. Som om den inte vill låta sig stillas. Människor som längtar så blir kanske aldrig riktigt lyckliga. Det är som om de ständigt oroar sig, måste fingra på objekten för sin längtan för att förvissa sig om att de finns kvar. Det är en sorts konstant oro, en sjukdom nästan.

Min farmor hade mycket att längta till. Hon var född på Vårdö på Åland och kom ensam till Stockholm som ung flicka för att söka arbete. Men jag tror att hon hade en sorts inre trygghet. Istället för att längta, bar hon sitt Åland i sitt hjärta, medan hon levde fullt ut i nuet i Stockholm. Hon tog sin nya miljö till sig helt och fullt. Från sin lägenheten på Heleneborgs-gatan på Söder i Stockholm utforskade hon stadens alla hörn. Jag vet att hon måste ha längtat till sitt Åland och sett fram emot somrarna där. Men jag tror inte hon längtade på det sättet som jag längtar. Jag tror att hon var en accepterande, logisk person som kunde nöja sig med vetskapen om att hon ju skulle få sin tid där när det blev sommar igen.

När jag tänker på henne, och det gör jag ofta, ser jag henne sittande på en solvarm sten vid stranden i Grundsunda, med fötterna i det hav hon älskade. Hon har ett litet nystan vitt lingarn i knäet och jag tror det är en spets hon virkar, för inte ens i himlen kan min farmor sitta overksam. Hon ler, för hon är äntligen hemma. Och hon har ingen anledning att längta.

När jag nu insåg att Nya Zeeland blivit mitt hemland utan att jag märkt det, visste jag inte riktigt hur jag skulle förhålla mig. När jag insåg att jag faktiskt bott längre i vårt hus i Auckland än jag bott någon annanstans. Och att jag inte längre har något hem i Sverige.

Jag tror att det var då jag började skriva.

Och där på andra sidan jorden knåpade jag ihop något som jag nu kan se var ett sorts kärleksbrev. Och kanske, kanske, ett avskedsbrev också.

För det blev en svensk bok. Och arbetet med den förde mig rakt in i det svenska landskapet, till årstiderna, dofterna, sederna.

Jag kan se nu att jag skrev in all min hemlängtan, min saknad och mina drömmar.

Jag har vänner i Sverige och vänner i Nya Zeeland som alltid bott på samma plats. Den gamla kvinnan i min roman har aldrig lämnat det hus där hon föddes. Den unga kvinna som hon möter, har aldrig haft ett permanent hem. Tillsammans tänker jag mig att de utforskar företeelsen.

Hem, vad betyder det, vad är det? "Home is where the heart is", säger man på engelska. "Man har sitt hem där man har sitt hjärta." Men om man har sitt hjärta både här och där, som jag, hur gör man då? Var är då ens hem?

Jag har haft många, sjutton stycken, tror jag, om jag räknat rätt. Varje gång har jag investerat av mig själv, trott att jag skulle stanna längre än det blev. Men jag har inte sörjt någon bostad. Utom möjligen min första egna. När jag började på universitet fick jag överta min mormors hyreslägenhet på Olaus Magnus väg i Hammarbyhöjden. Scenen för min mormors magiska jular. Det växte en stor tall utanför och där bodde en tam ekorre som brukade komma in i vardagsrummet via min balkong. Heta sommardagar vandrade jag ner till Eriksdalsbadet, där jag låg i solen och försökte läsa ikapp missade tentor.

Det var en ständig kamp att skrapa ihop till hyran. Ibland säger jag att det var därför det tog mig nästan sju år att ta min jur kand. Det är naturligtvis inte sant, men det låter bra. Av alla mina bostäder är det den enda jag drömmer om. Saknar.

Mina barn har också haft många hem och jag undrar ibland om vi gjorde rätt när vi tog dem till Afrika den där midsommaraftonen 1986. Max var elva år, Felix sju och André nyfödd. När vi hade avskedsfest i Stockholm kom en av gästerna fram till mig och spände ögonen i mig och sa: "Jag tycker det är ansvarslöst att ta en nyfödd till Afrika." Så här i efterhand kanske jag tycker att det var mer ansvarslöst att ta en elvaåring ur hans hemmiljö.

Det sägs att barn har en unik förmåga till språkinlärning. En förmåga som förloras vid tio- tolvårsåldern. De lär sig intuitivt och de utnyttjar en del av hjärnan som bara kan tas i anspråk när man är mycket ung. Jag undrar om det inte är annat också som bara kan inhämtas när man är barn. Om det inte är så att ens hemortskänsla liksom sätter sig under de första tio- tolv åren. Sen är det klart var man hör hemma känslomässigt.

När vi kom till Nya Zeeland och vi började förstå att vi inte längre var på en tidsbegränsad utflykt, då ville vår äldsta son hem. Han reste till Sverige och kom sedan bara tillbaks till oss på korta besök. Han gick i svenskt gymnasium och gjorde lumpen. Max bor fortfarande i Sverige och är i sitt hjärta helsvensk. När någon frågar våra pojkar vad de är, svarar de nog alla tre att de är svenskar. Trots att vår yngste son bott i Nya Zeeland större delen av sitt liv, talar han engelska med en svag, svårplacerad accent som gör att det hörs att han inte är infödd. Vi har nu en svensk son, en internationell och en Nya Zeeländsk, en Kiwi. Men alla tre har Sverige i sitt hjärta, tror jag.

När jag nu satt där i mitt arbetsrum den där hösten 2004, eller våren, beroende på vilket perspektiv man väljer, och skrev, växte sig min längtan allt starkare. Det började i mars, och vartefter verkligheten utanför mitt fönster gick från tidig höst till mild regnig vinter, ja, då levde jag i den svenska våren, försommaren och sommaren. Jag såg isen på en svensk insjö sakta luckras upp av en blek vårsol, såg den släppa taget om en brusande älv. Jag upplevde en iskall Valborgsmässoafton, precis så som jag minns dem. Huttrande iförd ny sommarkappa framför en majbrasa.

Jag plockade blåsippor och vitsippor. Det blev midsommar.

Men så tog det plötsligt slut. Filmen gick av. Jag kunde inte se det längre. Den Nya Zeeländska vintern trängde sig på och blev till verklighet igen. Jag satt framför min dator med fingrarna på tangenterna. Men det kom inga ord. Ingenting alls. Det gick veckor. Så, en dag skulle vårt hem sprejas mot myror och jag var tvungen att ta mig själv och hunden ur huset hela dagen. Vi hyste in oss i ett grannhus. Väl där, avskuren från alla distraktioner satte jag på en cd och öppnade min laptop. Och till ljudet av den här musiken flödade mitt Sverige tillbaks.

Avstånd är nödvändigt för längtan, tror jag, och jag har försett mig med mig maximalt jordiskt avstånd till föremålet för min längtan.

När jag utgjuter mig över hur härligt jag tycker det är att vara tillbaks i Sverige, tittar folk skeptiskt på mig och säger någonting i stil med: "Ja, ja, men kom igen i november, så får du se hur härligt det är." Så jag har gjort det, kommit hem på hösten, på vintern, på våren. Och jag ser liksom bara det goda. Kanske jag ändå har en besökares perspektiv. Kanske mitt undermedvetna förstår att det bara är en kortare visit och därför ser på tillvaron på ett annat sätt.

När jag skulle sätta ihop förordet till min roman skrev jag att perspektivet, avståndet varit en nödvändighet för mitt skrivande. Jag tror det stämmer. På avstånd ser man både klarare och mindre klart. Man ser det man vill se och det ser man med en förunderlig skärpa.

När vår yngsta son började i skolan i Nya Zeeland kom han hem en dag och berättade att fröken talat om Paradiset. "Mamma, det där Paradiset, vad är det egentligen?" undrade han. "Ja, du", sa jag, "det är en plats där solen alltid skiner, där alla är snälla och glada." "Aha", sa min femåring, "det är vår ö i Sverige!"

På avstånd blir det vackra ännu vackrare.

Om man nu lider av kronisk längtan, ja, då måste man kanske föra en ambulerande tillvaro. Man måste ständigt se till att någon eller något som man älskar är utom räckhåll. Å andra sidan är det ju längtans natur att vara opålitlig och ombytlig. Så fort man fått sin längtan uppfylld, byter den fot och börjar längta efter det man just förlorat. För det är ju så att varje val också innebär ett avstående.

Om jag nu skulle stilla min längtan till Sverige. Flytta hem för gott. Hur skulle det bli då?

Skulle Nya Zeeland stiga fram för min syn, fylla mig med längtan?

Ibland när jag ser mig omkring där i mitt nya hemland, till exempel när jag går min morgonpromenad längs med havet i Auckland, tänker jag att vackrare än så här blir det inte. Någonstans. Havet skiftar ständigt färg – från gnistrande azurblått soliga sommarmorgnar, till dunkelt djupblått innan morgonen helt ljusnat på vintern. Det blåser ofta en lätt frisk vind och jag ser segelbåtar svepa förbi med spända segel. Auckland kallas "City of Sails", segelstaden, och det märks.

De små trähusen som jag passerar har blommande trädgårdar med doftande rosor och citrusträd, en skarp kontrast mot det dramatiska landskapet. För mig känns det som om invandrarna försökt att omforma det vilda, vindsvepta landskapet till en sorts nostalgisk kopia av det gamla land de en gång lämnade, England, Skottland och Irland. I de små städerna på Sydön, Timaru, Omaru, Dunedin och Invercargill, ser de små stenhusen ut som tappra utvandrade byggnader som håller ihop för att inte drunkna i det mäktiga landskapet. Det sägs att många ritades och planerades i den gamla världen och ibland blev det fel. Till exempel när den engelska arkitekten som ritat Operahuset i Wellington kom för att beskåda den färdiga byggnaden och insåg att det är söder som är skuggsida där. Huset var felvänt.

Och ofta är det så. Det blir inte bra när man försöker göra kopior. Det går inte att återskapa en plats någon annanstans.

Det är lika befängt som att tro att människor är utbytbara.

Så om jag väljer det ena, förlorar jag det andra. Och måste längta.

Jag har en god vän i Auckland som nyligen återvände efter ett antal år i London. Hon sa att det första hon la märke till när hon klev ut i den friska luften på flygplatsen i Auckland var dofterna. "Du förstår, ingenting doftade i London", sa hon. Jag tittade häpet på henne. "Men", sa jag, "det är ju här det inte doftar." Kanske är det någonting med de dofter man växer upp med. Kanske man liksom blir doftprogrammerad. Lukt och längtan hör samman.

Vi har en god vän som har ett hus på östkusten norr om Auckland. Det ligger alldeles bakom de höga sanddynerna och det är byggt av den sand det ligger på. Stranden där är oändlig och helt obefolkad. Vi känner oss lika privilegierade varje gång vi får komma dit. Vid ett besök vandrade vi över dynerna och in ett odlat skogsparti. Och plötsligt doftade det. Jag satte ner foten och var ögonblickligen tillbaks i min barndoms skog. I Årstaskogen, inte mycket mer än ett litet skogsparti den heller, men med mitt barndomsperspektiv fylld med äventyr och faror. Och dofter. Jag satte foten på barren i den vita sanden där på andra sidan jorden och det luktade precis som de barr mina bara fötter sprang på när jag var liten och bodde i Årsta i södra Stockholm. Där var jorden mörk och torr och letade sig in mellan tårna, barren var hårda och glansiga, nästan guldfärgade och de var varma och lena under fotsulorna. De här barren i Paekeri på andra sidan jorden var långa, mjuka och fortfarande gröna. Men de doftade precis likadant.

Nya Zeeland har en unik flora och fauna. Där finns fåglar och insekter som bara finns där. De träd jag kände igen när vi först kom dit var alla inplanterade sena invandrare. De lokala träden finns ingen annanstans. Där, och bara där, finns de gigantiska, uråldriga och ändå så sårbara och utrotningshotade kauriträden. De magnifika Pohutekawaträden som är täckta med röda dunvippor lagom till jul.

Svenskar, precis som Nya Zeeländare, kan sin flora och fauna. Och växter och djur hör intimt ihop med våra årstider. I Sveriga är det domherrar på vintern, koltrastsång på våren. Blåsippor, gullvivor, smultron, lingon. Alla har sin plats och sin tid. I Nya Zeeland lär jag mig fortfarande vad som hör till varje tid på året.

Näst efter människor jag älskar, säger jag årstider, när folk undrar vad jag saknar mest. Längtar mest efter. Förutsägbara, riktiga årstider. Såna som signalerar ny garderob, nya högtider, nya maträtter. Svenska årstider. Där i Auckland flyter årstiderna i varann. En fin dag mitt i vintern, i juli, kan man känna för att dra på sig shorts och vandra längs någon strand. Å andra sidan kan en dag mitt i sommaren, i januari, vara lika kylig som en vinterdag. Det är ingen ide att packa undan någonting, det kan vara täckjacka ena dagen och t-shirt nästa. När jag började arbeta på nationalbaletten, hade vi ett möte för att diskutera hur vi skulle nå vår sponsor- och välgörenhetsbudget för året. Jag föreslog att vi skulle ordna en årlig nyårsbal. Det blev absolut tyst en stund och mina kollegor tittade sig besvärat omkring. "Men, Linda, du förstår, det är ingen här då", sa någon till sist. Och så är det. Ingen är hemma vid jul heller, för sommarlovet börjar precis före jul. Inte heller blir man inspirerad att laga skinka och köttbullar i värmen. Eller värma glögg. Vi har tappat det mesta av det svenska julbordet. Men inte mormors pepparkakor, förstås. Eller sillen, som man numera kan köpa i vårt närmaste snabbköp. Men som andra Kiwis dricker vi champagne eller en kyld Nya Zeeländsk Sauvignon Blanc till den lokala hummern, crayfish, som vi, precis som andra Kiwis, grillar på vår barbeque. Sen äter vi den på en strand kantad med blommande Pohutukawaträd. Det är fint.

Men det är inte detsamma som en svensk jul.

Jag träffade en gång en engelsk fotograf på besök i Nya Zeeland. Han sa att han var tvungen att använda helt annan film där. "Det är ljuset", sa han. Och varje gång jag kommer tillbaks efter ett besök i Europa sköljer det över mig med oanad kraft. Det känns som om jag levt en tid i en värld där ljuset är milt filtrerat. I Nya Zeeland är det skoningslöst, döljer ingenting. Jag tyckte länge att det var lika intensivt året om också. Jag kunde inte instinktivt avgöra tiden på dygnet, eller årstiden med hjälp av ljuset. Det kan jag i Sverige. Det sitter oföränderligt i mitt undermedvetna, tillsammans med dofterna.

Men jag tror nu att jag lärt mig ljuset i Nya Zeeland också. När jag ser den nedgående solen reflekteras i fasaderna i staden som ligger nedanför vårt hus, vet jag nu vilken årstid det är. Jag känner det på lukten också. Vinterkvällar med luften fylld av doften från vedeldade brasor. Sommarkvällar då det driver in doft av jasmin och nattens drottning på den ljumma vinden.

Kanske det är så att de tio första åren av ett barns liv, då hemortskänslan befästs, motsvaras av tjugo år för en vuxen. Kanske jag nu har två helt motsättliga hemkänslor som strider om min uppmärksamhet.

Kanske är det därför det är så svårt.

Allt i mitt nya hemland är nytt. Det är friskt och liksom nymornat, som ett ungt ansikte där livet ännu inte satt några spår. Så är det ju också ett nytt land på alla sätt. Själva naturen känns ny, som om den ännu inte är färdigskapad. Runt Auckland finns ett sextiotal vulkaner och hela det långsmala landet ligger på en spricka mellan två kontinentalplattor, som om det alldeles nyligen pressats upp ur havet. De spår människorna lämnat är nya och grunda.

Nya Zeeland har varit befolkat i mindre än tusen år. Innan de första människorna anlände fanns där inga däggdjur alls, inte ens råttor. Och inga ormar. Man vet inte säkert när den första maoriska kanoten landade där, kanske för 800 år sedan eller så. Kapten Cooks skepp The Endeavor ankrade första gången 1769, och i hans följe kom sedan de europeiska kolonisatörerna.

Staten Nya Zeeland bygger på ett fredstraktat mellan de olika maoristammarna och drottningen av England, the Waitangi Treaty. Som kolonisation betraktad var det en relativt fredlig process och här har slitningarna mellan ursprungsbefolkningen och kolonisatörerna varit mindre våldsamma än i de flesta andra länderna i det Brittiska imperiet.

Nu bor där drygt fyra miljoner människor och cirka 40 miljoner får.

Nya Zeeland lever högt på sin natur, näst kött och mejeriprodukter är turism landets största exportinkomstkälla. Och det lilla landet har praktiskt taget all slags natur att erbjuda. Ibland tänker jag mig att när jorden skulle skapas ville skaparen först göra ett litet prov för att testa sina idéer. Så han började med en liten strimma land och längst i norr gav han det subtropiskt klimat med palmer och surfstränder, längre söderut medelhavsklimat med bördiga kullar, insjöar och floder. Längst i söder snötäckta alper, fjordar och svårgenomträngliga skogar. Men sen tog han itu med den fullskaliga världen och glömde bort att befolka det lilla provet. Och där låg det i sin ensamhet, besökt bara av fåglar och insekter tills de första maorierna steg iland.

Vart man reser i Nya Zeeland har man havet nära. Snötäckta alper i bakgrunden, de oändliga gröna kullarna med betande får. När den kalla vinden från söder sveper in över det lilla landet utan landmassa, kan temperaturen falla från sommar till vinter på en kvart. Och tvärtom, ljumma vindar från norr drar in fuktig tropisk värme från Stilla Havet när vinden vänder. Det är som om hela landet har en sorts flyktighet över sig. Som om den mänskliga närvaron bara är temporär.

Men kanske det är så att det är just detta jag skulle sakna. Längta efter. De möjligheter som ligger i det oetablerade, det nya. Och kanske är det just det uråldriga, det långsamma och befästa som skulle oroa mig om jag skulle återvända till Sverige för gott.

I Nya Zeeland fäller träden sina löv i maj, men samtidigt

börjar kamelior och daphne att blomma. Det växer en liten björk utanför ett av husen på vår gata och innan de sista torra löven fallit av, slår de nya blekgröna ut. Det är aldrig något totalt avbrott, någonting blommar ständigt.

När min bok skulle översättas till svenska blev jag först tillfrågad om jag ville göra det själv. Jag gjorde ett halvhjärtat försök, men insåg snabbt att för mig skulle det inte bli fråga om en översättning, utan en omskrivning. För jag skrev min bok i Nya Zeeland, med det perspektivet, och jag var den person som jag är när jag sitter där i mitt arbetsrum med cikadorna spelande utanför fönstret. Det är där jag funnit de ord jag använt för att måla min längtan. Jag kan liksom inte längta till mitt Sverige på svenska. Det låter inte riktigt klokt, men så är det. Även de enklaste ord är laddade, både de engelska och de svenska, och de existerar i varsin värld.

Ordet hav, till exempel. Det svenska ordet betyder något annat för mig än det engelska. När jag var barn betydde ordet hav det vatten som omgav den by på Åland där min farmor föddes. Där tillbringade jag min tidiga barndoms somrar och det var i det lättsaltade, svala vattnet som jag lärde mig simma i vissheten om att de enda faror som hotade när man väl lärt sig flyta var en och annan badande huggorm. För en person som tillbringat sin barndoms somrar i Nya Zeeland betyder hav något helt annat. Och farorna är helt andra. Det finns inga ormar där, men vilda vågor som kräver ständig vaksamhet. Förrädiska underströmmar. Skimrande turkosfärgade väggar av vatten, där man ibland kan se ett helt stim Kawhai-fiskar driva förbi innan vattnet sjunker tillbaks. Allt är olika, perspektivet, färgerna, dofterna, temperaturen. Hur ska man då kunna använda samma ord?

Kanske har det blivit för mig som för den äldre judiske man som i New York stötte ihop med en ungdomsvän han inte sett i det nya landet. På frågan hur hans liv utvecklat sig svarade han att hans barn var friska och välartade, dottern advokat och sonen läkare, hans fru älskade honom och han älskade henne, de hade god hälsa, en bra bostad och trygg ekonomi. "Du måste vara lycklig", sa vännen. "Absolut, jag är väldigt lycklig", svarade mannen. Men efter ett ögonblick av eftertanke tillade han på sitt modersmål "Aber glücklig bin ich nicht."

Kanske är det invandrarens lott att vara lycklig och olycklig på samma gång.

Ibland, ganska ofta, önskar jag att jag kunde krympa jorden så att jag fick gångavstånd till allt och alla jag tycker om. Till alla platser jag regelbundet vill besöka. Då skulle jag gå till min mammas lilla lägenhet på Metargatan på Söder i Stockholm varje dag. Promenera på stranden i Takapuna i Auckland. Till Blå Porten på Djurgården skulle jag gå ofta för att äta lunch, särskilt på sommaren, med alla mina tre söner. Dricka kaffe – en flat white – på Bambina i Ponsonby. Gå till fiskmarknaden nere vid hamnen i Auckland för att köpa hapuka eller orange roughy. Äta lunch i Östermalmshallen i Stockholm, sill, eller en Skagensmörgås. Plocka lingon i Dalarna. Köpa några doftande mogna feijoafrukter och ett par tamarillos hos min indiska grönsakshandlare i Ponsonby. Äta middag på min favoritrestaurang Vinnies i Herne Bay, eller kanske kalvlever Anglais på Wasahof i Vasastan. Sitta hela kvällen på vår veranda och se solen gå ner medan jag delar en flaska Nya Zeeländsk Sauvignon Blanc med min man. Äta middag i matsalen på Värdshuset i Dala-Floda med goda vänner. Åka skidor i Wanaka på Sydön i Nya Zeeland. Eller i skogen i Nås i Västerdalarna. Fiska från den lilla roddbåten i Gryts skärgård. Eller ankra upp utanför Rangitoto Island och släppa ner reven och hoppas på några snappers.

Om jag kunde det skulle kanske min längtan lugna sig. Men jag är inte säker på att det skulle bli bra, det heller. Om man är som jag, måste man nog ha kvar något att längta till.

Francis Bacon, statsman, filosof, pedagog och mycket mer, en av de historiska personer jag mest beundrar, skrev följande råd till hemvändande resenärer:

"När en resande återvänder hem, bör han inte lämna de länder han besökt helt bakom sig, utan upprätthålla en korrespondens med de bästa av dem han mött. Och hans erfarenheter som resenär bör avspeglas i hans personlighet, snarare än i klädsel och gester. Han bör vara återhållsam med sina svar, snarare än benägen att berätta. Det ska helst verka som om han inte ändrat sina nationella vanor och lagt sig till med utländska, utan bara låtit smyga in någon enstaka blomma av det han tillägnat sig utomlands, i den bukett av seder och bruk som råder i hans hemland."

Jag ska tänka på det. När jag kommer hem. Till ettdera av mina två hem.

Till sist, några rader ur en dikt av en okänd maorisk poet:

Me aha iho ka mauru ai.
Whiuwhiu kei te muri, ke te tonga?

Hur kan jag tysta mitt hjärta
Som kastas mellan norr och söder?

Haere Ra. Farväl